한국어능력시험 Real TOPIK Ⅱ

ISBN 979-11-6647-179-7

Chapter 01

Real TOPIK Ⅱ 1회

- 듣기 (1번~50번)
- 쓰기 (51번~54번)

듣기 (1번 ~ 50번)

※ [1~3] 다음을 듣고 알맞은 그림을 고르십시오. (각 2점)

01.

①

②

③

④

02.

①

②

③

④

03. ①

인터넷 사용 시 문제점

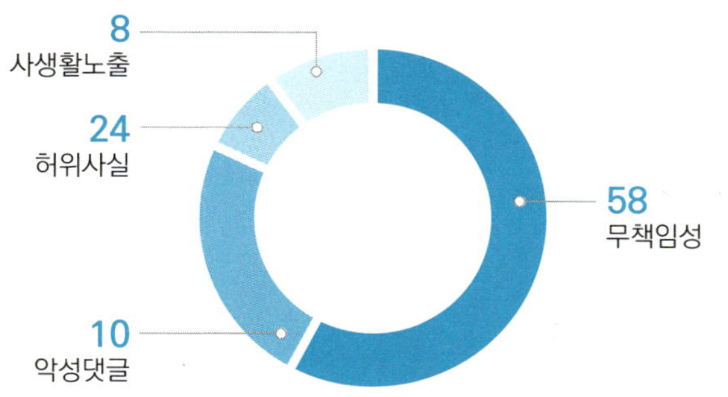

②

인터넷 사용 시 문제점

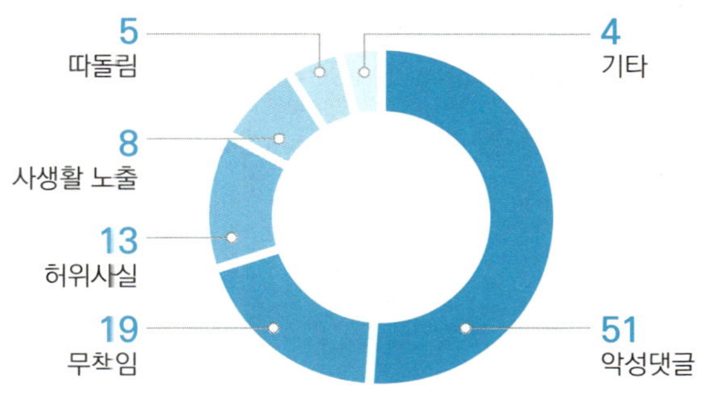

③

연령별 인터넷 이용자

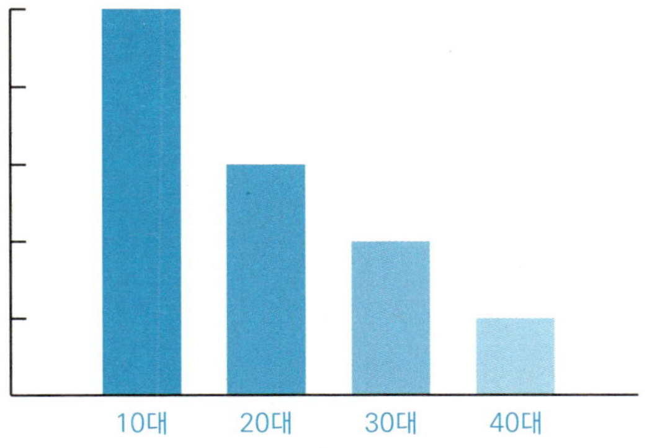

④

연령별 인터넷 이용자

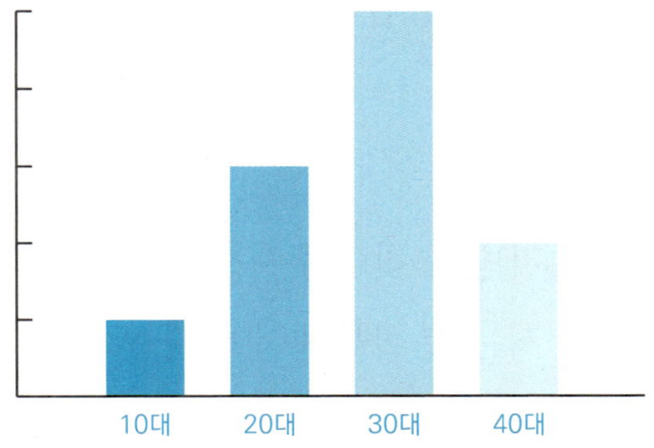

※ [4~8] 다음 대화를 잘 듣고 이어질 수 있는 말을 고르십시오. (각 2점)

04. ① 하마터면 큰일 날 뻔했군요.
② 지금 저랑 빨리 병원에 가야겠어요.
③ 어제 콘서트가 정말 재미있었나 보네요.
④ 연극처럼 콘서트 말고도 재미있는 공연이 많아요.

05. ① 주말이니까 서울에 가기가 힘들겠지?
② 그래? 그럼 우리 내일 저녁에 서점에서 만나자.
③ 좋아. 친구를 만나는 대신에 서울에 가서 책을 살게.
④ 알았어. 급하면 그 책 내 책상에 있으니까 먼저 보고 있어.

06. ① 아무래도 저는 면접을 볼 수 없겠지요?
② 면접을 잘 본 줄 알았는데 떨어졌어요.
③ 아니에요. 저는 열심히 준비하지 않았어요.
④ 고마워요. 최선을 다해서 면접을 봐야겠어요.

07. ① 네, 감사합니다. 이미 예약한 것이나 다름이 없네요.
② 인터넷 홈페이지에서 비행기표를 예약할 수 있어서 편리하네요.
③ 걱정을 많이 했는데, 이렇게 예약을 하게 되어서 정말 다행이네요.
④ 네, 감사합니다. 홈페이지에서 확인해 보고 다시 전화 드리겠습니다.

08. ① 가방을 찾아주셔서 감사합니다.
② 저는 분실물센터에 가는 길이에요.
③ 4호선 분실물센터가 어디에 있어요?
④ 제가 지하철 안을 다시 찾아보겠습니다.

※ [9~12] 다음 대화를 잘 듣고 남자가 이어서 할 행동으로 알맞은 것을 고르십시오. (각 2점)

09. ① 서울역에 간다.
② 버스를 타러 간다.
③ 친구에게 전화를 한다.
④ 빨리 가는 방법을 검색한다.

10. ① 우산을 산다.
② 집으로 돌아간다.
③ 일기예보를 본다.
④ 여자와 저녁을 먹는다.

11. ① 후원 단체에 가입한다.
② 독거노인들을 찾아뵙는다.
③ 여자와 함께 봉사활동을 한다.
④ 도움이 될 만한 일을 찾는다.

12. ① 여자와 같이 병원에 간다.
② 여자 대신 도서관에 간다.
③ 여자를 만나서 공부를 도와준다.
④ 여자가 아프다고 선생님께 말한다.

※ [13~16] 다음을 듣고 내용과 일치하는 것을 고르십시오. (각 2점)

13. ① 박물관은 쉬는 날이 없다.
② 박물관은 아직 문을 열지 않았다.
③ 박물관은 매주 월요일에 문을 닫는다.
④ 박물관은 월요일에는 늦게 문을 닫는다.

14. ① 여자는 취업 준비를 하고 있다.
② 여자는 다음 주에 면접이 있다.
③ 남자는 회사 홈페이지를 보고 있다.
④ 남자는 여자에게 면접 서류를 찾아줬다.

15. ① 계획을 세우지 않아도 성취감을 느낄 수 있다.
② 새해가 되면 한 해의 계획을 세우는 사람들이 적다.
③ 새해에 세운 계획은 3월 안에 거의 다 지키는 것으로 나타났다.
④ 새해에 계획을 세우는 사람들은 많지만 지키는 사람들은 적은 편이다.

16. ① 커피는 간경화 예방에 도움이 된다.
② 커피의 종류와 상관없이 커피는 건강에 도움이 된다.
③ 커피와 건강은 아무런 관계가 없는 것으로 조사되었다.
④ 커피는 신체를 활성화 시키는 성분이 들어 있어서 몸에 좋지 않다.

※ [17~20] 다음을 듣고 여자의 중심 생각을 고르십시오. (각 2점)

17. ① 운전면허 시험이 어려우면 시험을 보는 사람이 줄 것이다.
② 앞으로 교통법규 위반을 하지 않는 사람이 많아질 것이다.
③ 교통법규 벌금이 늘면 교통법규를 지키는 사람들이 많아질 것이다.
④ 무엇보다 교통 위반에 대한 사람들의 인식이 변하는 것이 중요하다.

18. ① 처음부터 잘 맞는 사람도 있다.
② 소개팅으로 만난 사람과 맞춰가기 어렵다.
③ 자주 만나서 이야기하다보면 서로를 이해할 수 있다.
④ 처음에 자주 만나서 이야기하지 않으면 서로를 이해할 수 없다.

19. ① 직장을 그만둔 것이 무척 후회스럽다.
② 스트레스를 주는 직장은 그만두는 것이 좋다.
③ 직장 생활을 하면서도 충분히 자기 계발을 할 수 있다.
④ 자신만의 시간 없이 직장 생활을 하는 것은 무의미하다.

20. ① 동물 등록에 대한 제도적 보완이 필요하다.
② 동물 등록은 유명무실한 제도라는 지적이 많다.
③ 유기견들이 많아져 사회적 문제를 일으키고 있다.
④ 동물 등록이 확대되어 주인을 찾아주는 것이 중요하다.

※ [21~22] 다음을 듣고 물음에 답하십시오. (각 2점)

21. 남자의 중심 생각으로 알맞은 것을 고르십시오.

① 연휴에는 활동량이 줄어난다.
② 연휴에는 장거리 운전을 하는 일이 드물다.
③ 연휴에는 이곳저곳을 다니는 사람들이 많다.
④ 연휴를 보내면 신체적으로 피로감을 느끼게 된다.

22. 들은 내용으로 맞는 것을 고르십시오.

① 너무 피곤하면 수면 시간을 늘리는 것이 좋다.
② 몸이 피곤할 때 가벼운 운동을 하는 것은 오히려 안 좋다.
③ 평소의 수면 시간을 지키는 것이 피로를 해소하는 데 도움이 된다.
④ 가끔 평소와 다른 환경에서 지내야 두통이나 수면 부족 증상을 예방할 수 있다.

※ [23~24] 다음을 듣고 물음에 답하십시오. (각 2점)

23. 남자의 중심 생각으로 맞는 것을 고르십시오.

① 법적으로 노약자를 보호해야 한다.
② 강압적인 규제는 부작용을 낳게 된다.
③ 노인을 공경하는 문화를 지켜야 한다.
④ 대중교통에서 노약자석은 잘 지켜지고 있다.

24. 들은 내용으로 맞는 것을 고르십시오.

① 노약자석을 법적으로 지정하는 것은 불필요하다.
② 부작용이 있더라도 사회적 약자를 보호해야 한다.
③ 노약자석에 젊은 사람들을 앉게 하면 부작용이 생길 것이다.
④ 노인을 공경하는 문화가 사라져서 노약자석을 이용하는 경우가 드물다.

※ [25~26] 다음을 듣고 물음에 답하십시오. (각 2점)

25. 들은 내용의 주제로 맞는 것을 고르십시오.

① 결혼을 해야 하는 이유
② 결혼 후 가사와 육아 부담
③ 결혼에 대한 가치관의 변화
④ 남자와 여자의 평균 결혼 나이

26. 들은 내용으로 맞는 것을 고르십시오.

① 여자는 평균 32세에 결혼을 하는 사람이 많다.
② 결혼을 하지 않으려는 사람들이 점점 많아지고 있다.
③ 미혼 직장인들은 10명 중에 7명은 결혼을 해야 한다고 생각하고 있다.
④ 결혼을 하지 않는 가장 큰 이유는 경제적인 어려움인 것으로 나타났다.

※ [27~28] 다음을 듣고 물음에 답하십시오. (각 2점)

27. 이 글의 앞에 나올 내용으로 가장 알맞은 것을 고르십시오.

① 현대인들의 생활
② 다양한 취미활동
③ 스트레스 해소 방안
④ 현대인들의 스트레스

28. 들은 내용으로 맞는 것을 고르십시오.

① 바쁜 현대인들은 힐링을 할 시간이 없다.
② 스트레스를 해소하기 위해서는 치료를 받아야 한다.
③ 여행이나 음악 감상 등은 좋은 힐링의 방법이 될 수 없다.
④ 언제 어디서나 쉽게 접할 수 있는 힐링의 방법이 인기가 있다.

※ [29~30] 다음을 듣고 물음에 답하십시오. (각 2점)

29. 남자는 누구인지 맞는 것을 고르십시오.

① 선생님 ② 의사
③ 음식 연구가 ④ 건강 관리사

30. 들은 내용으로 맞는 것을 고르십시오.

① 비싼 샴푸를 사용하면 탈모 예방에 도움이 된다.
② 잘못된 식습관, 술, 담배 등은 탈모에 영향을 준다.
③ 유전적인 탈모도 모발 관리를 잘하면 예방할 수 있다.
④ 머리는 저녁에 감는 것이 좋고 물기를 완전히 말려야 한다.

※ [31~32] 다음을 듣고 물음에 답하십시오. (각 2점)

31. 남자의 태도로 맞는 것을 고르십시오.

① 상대방의 의견에 동의하며 실천 방법을 알려주고 있다.
② 상대방의 의견에 구체적인 사례를 들어 반대하고 있다.
③ 상대방의 의견을 비판하며 해결 방안을 제안하고 있다.
④ 상대방의 의견을 분석하고 자신의 의견과 대조하고 있다.

32. 들은 내용으로 맞는 것을 고르십시오.

① 홈페이지에서만 신청할 수 있다.
② 마일리지로는 벌점을 깎을 수는 없다.
③ 착한 운전 마일리지를 신청한 사람들이 많다.
④ 교통 법규를 잘 지키면 마일리지를 주는 제도이다.

※ [33~34] 다음을 듣고 물음에 답하십시오. (각 2점)

33. 남자는 무엇을 하고 있는지 고르십시오.

① 탄소 포인트 제도를 설명하고 있다.
② 에너지 절약의 어려움을 말하고 있다.
③ 포인트 사용 방법에 대해서 설명하고 있다.
④ 환경 보호의 중요성에 대해서 역설하고 있다.

34. 들은 내용으로 맞는 것을 고르십시오.

① 탄소 포인트 제도를 활용하고 있는 사람이 많다.
② 에너지를 5~10% 줄이면 3만 점을 포인트로 받을 수 있다.
③ 이 포인트를 가지고 통신비나 대중 교통비로는 사용할 수 없다.
④ 탄소 포인트 제도를 통해서 받은 포인트를 현금으로 사용할 수 있다.

※ [35~36] 다음을 듣고 물음에 답하십시오. (각 2점)

35. 들은 내용으로 맞는 것을 고르십시오.

① 남자들은 화장을 하거나 피부를 가꾸지 않는다.
② 화장품 가게에 가면 남성용 화장품을 많이 볼 수 없다.
③ 유행을 좇아하거나 다른 사람을 그대로 따라 하는 것이 멋있다.
④ 요즘 남자들은 미용이나 패션에 아낌없이 투자를 하는 경우가 많다.

36. 화장에 대한 남자의 생각을 고르십시오.

① 남자의 화장을 긍정적으로 보고 있다.
② 화장하는 남자에 대해 부정적으로 생각하고 있다.
③ 외모에 관심을 두고 가꾸는 남자들에 대해서 비판하고 있다.
④ 화장품을 비교하면서 바르는 남자들은 별로라고 생각하고 있다.

※ [37~38] 다음을 듣고 물음에 답하십시오. (각 2점)

37. 들은 내용으로 맞는 것을 고르십시오.

① 젊었을 때부터 노후 대비를 철저히 해야 한다.
② 다른 사람들이 많이 하는 방법을 따라하는 것이 유리하다.
③ 수익이 높은 주식을 투자하는 것이 현명한 재테크 방법이다.
④ 부모님 세대처럼 은행에 저축만 해도 노후를 보장받을 수 있다.

38. 여자의 중심 생각으로 알맞은 것을 고르십시오.

① 평소에 재테크에 관련된 책을 많이 읽어야 한다.
② 평균 수명이 길어졌지만 일할 수 있는 나이는 제한적이다.
③ 자신에게 맞는 방법을 찾아 체계적으로 투자하는 것이 가장 중요하다.
④ 현명한 재테크를 위해 높은 수익을 낼 수 있는 주식에 투자하는 것이 유리하다.

※ [39~40] 다음을 듣고 물음에 답하십시오. (각 2점)

39. 들은 내용과 일치하는 것을 고르십시오.

① 처음으로 헌혈을 한 사람은 '카를 란트슈타이너'이다.
② 6월 14일은 헌혈에 참여해 주신 분들께 감사의 마음을 전하는 날이다.
③ 헌혈을 하면 건강한 삶을 살 수 있기 때문에 적극적으로 참여해야 한다.
④ 세계 헌혈자의 날에만 수혈이 필요한 사람들에게 헌혈을 해 줄 수 있다.

40. 여자의 태도로 가장 알맞은 것을 고르십시오.

① 많은 사람들이 헌혈에 동참해 줄 것을 권유하고 있다.
② 헌혈의 중요성에 대해 구체적인 예를 들어서 분석하고 있다.
③ 헌혈자들에게 감사의 마음을 전하자는 내용을 홍보하고 있다.
④ 혈액형을 발견한 사람인 '카를 란트슈타이너'에 대해 설명하고 있다.

※ [41~42] 다음을 듣고 물음에 답하십시오. (각 2점)

41. 들은 내용과 일치하는 것을 고르십시오.

① 남자는 수업 시간에 휴대폰 사용 제한을 찬성한다.
② 남자는 개인의 자유를 이유로 휴대폰 사용 제한을 반대하고 있다.
③ 여자는 수업 시간에 휴대폰 사용을 제한하는 것은 좋지 않다고 생각한다.
④ 여자는 학생들이 스스로 휴대폰 사용을 제한하도록 권유하고 있다.

42. 남자의 중심 생각으로 맞는 것을 고르십시오

① 휴대폰 사용 제한은 수업에 집중할 수 있어서 좋다.
② 휴대폰 사용 제한을 통해 미리 배울 단어를 예습할 수 있다.
③ 휴대폰이 있으면 열심히 공부하는 학생들에게 도움이 될 것이다.
④ 수업 시간에 무조건 휴대폰 사용을 제한하는 것은 옳지 않다.

※ [43~44] 다음을 듣고 물음에 답하십시오. (각 2점)

43. 이 강연 뒤에 이어질 내용으로 알맞은 것을 고르십시오.

① 포크와 젓가락 비교
② 각 나라별 음식 문화
③ 각 나라별 젓가락 특징
④ 젓가락을 사용하는 이유

44. 여자의 생각과 같은 것을 고르십시오.

① 포크의 재질과 크기는 나라마다 다르다.
② 나라별로 포크 사용 방법에는 큰 차이가 없다.
③ 젓가락으로 각 나라의 문화적 특징을 설명하기는 어렵다.
④ 나라별로 음식 문화에 따라 포크와 젓가락의 모양이 다르다.

※ [45~46] 다음을 듣고 물음에 답하십시오. (각 2점)

45. 들은 내용과 일치하는 것을 고르십시오.

① 세계적으로 한국의 교육열은 높은 편이 아니다.
② 대부분 학교 공부 이외에 사교육은 하지 않는다.
③ 높은 교육열은 부모님들에게 경제적 부담을 주지 않는다.
④ 지나치게 높은 교육열은 출산율 문제에도 영향을 주게 된다.

46. 이 글의 중심 생각으로 맞는 것을 고르십시오.

① 교육을 통해 사회적인 문제를 해결할 수 있다.
② 학생들의 소질과 적성을 키울 수 있는 교육이 되어야 한다.
③ 출산율을 높이기 위해서는 높은 교육열이 유지되어야 한다.
④ 학생들은 좋은 대학교에 입학하기 위해 열심히 공부해야 한다.

※ [47~48] 다음을 듣고 물음에 답하십시오. (각 2점)

47. 여자의 태도로 가장 알맞은 것을 고르십시오.

① 도시 생활의 어려움을 비판하고 있다.
② 시골과 도시의 장점과 단점을 비교하고 있다.
③ 전원생활이 나아가야 할 방향에 설명하고 있다.
④ 귀농과 귀촌이 늘어난 원인에 대해 분석하고 있다.

48. 들은 내용과 일치하는 것을 고르십시오.

① 귀농과 귀촌은 같은 의미로 사용한다.
② 도시로 가서 사는 것을 귀농이라고 한다.
③ 도시생활이 시골생활보다 더 나은 삶이다.
④ 시골에서 살면 이웃끼리 어울려서 살 수 있어 좋다.

※ [49~50] 다음을 듣고 물음에 답하십시오. (각 2점)

49. 들은 내용으로 맞는 것을 고르십시오.

① 층간 소음으로 인해 창문을 열지 못하는 경우가 많다.
② 층간 소음이 심하면 휴식이나 수면에 악영향을 줄 수 있다.
③ 층간 흡연을 줄이기 위해서 금연 구역을 확대해야 한다.
④ 층간 흡연으로 인해 담배를 피우는 사람들이 줄었다.

50. 남자의 태도로 가장 알맞은 것을 고르십시오.

① 층간 소음과 층간 흡연을 대조하고 있다.
② 층간 소음과 층간 흡연 문제의 원인을 분석하고 있다.
③ 층간 소음과 층간 흡연의 문제 해결 방법을 찾고 있다.
④ 층간 소음과 층간 흡연의 심각성을 설명하고 있다.

쓰기 (51번~54번)

※ [51~52] 다음을 읽고 ㉠와 ㉡에 들어갈 말을 각각 한 문장으로 쓰십시오.(각 10점)

51.

아르바이트생을 모집합니다.

우리 커피숍에서 함께 일할 성실한 아르바이트 학생을 구합니다. 학교 정문 앞에 위치하고 있고 평일 오후 2시부터 5시까지입니다. 시간은 조정 가능하니 관심 있는 분들은 아래 연락처로 (㉠).

아르바이트 경험은 없어도 상관없지만 성실하게 오래 일하실 분을 모집합니다. 한국어를 할 수 있는 외국 학생도 가능합니다. 다음 주 금요일에 간단한 면접이 있으니 면접하러 오실 때는 이력서를 (㉡).

☎ 010-1238-4587

가 나 커 피 숍

52.

옷이나 다른 것들을 자주 세탁하는 사람도 신경 쓰지 못하고 그냥 지나칠 수 있는 것이 바로 집안에 있는 인형들이다. 인형은 주로 장식용으로 사용하다 보니 인형을 (㉠) 경우가 많다. 하지만 인형은 털이 많아 먼지가 잘 생기고 오염 물질이 잘 묻는다. 이런 인형을 가지고 놀다 보면 (㉡) 세균이 옮을 수 있다. 특히 아이들은 손을 잘 씻지 않는 경우도 많으니 건강을 위해서 가끔씩 인형도 세탁해야 한다.

53. 다음을 참고 하여 '개인형 이동장치 교통사고 현황'에 대한 글을 200~300자로 쓰십시오. 단, 글의 제목을 쓰지 마시오. (30점)

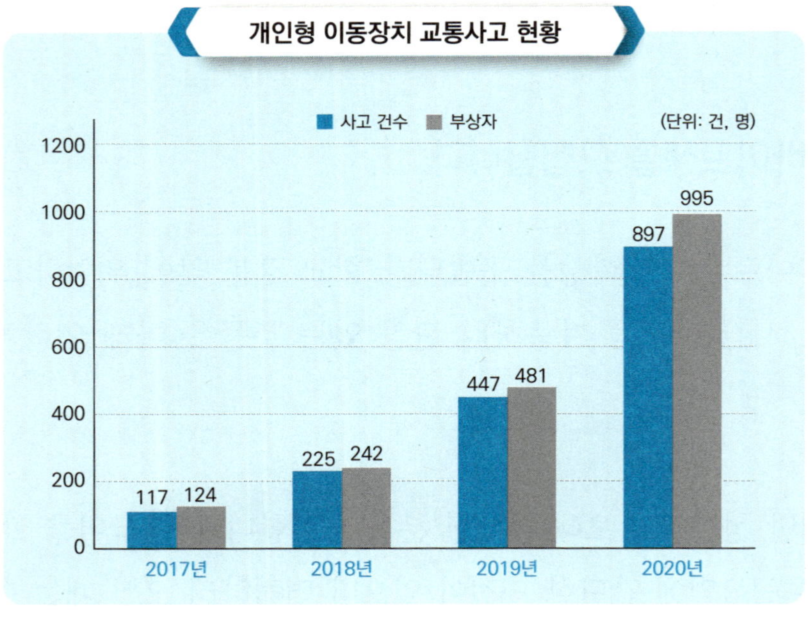

사고 및 부상자 발생 원인

- 운전 미숙
- 안전 장비 미착용

[도로 교통법 개정안] (2021 시행)

- 면허 취득 의무화
- 안전 장비 미착용 시 범칙금 부과

54. 다음을 주제로 하여 자신의 생각을 600~700자로 글을 쓰시오. 단, 문제를 그대로 옮겨 쓰지 마시오. (50점)

예전과 달리 현대 사회는 다문화 사회이다. 세계화로 인해 국가 간의 교류가 활발해지면서 다양한 문화가 공존하는 사회로 변해가고 있다. 아래의 내용을 중심으로 '다문화 사회'에 대한 자신의 생각을 쓰라.

1) '다문화 사회'는 어떤 사회인가?
2) 다문화 사회의 원인과 그에 따른 문제점은 무엇인가?
3) 올바른 다문화 사회 정착을 위해 노력해야 할 부분은 무엇인가?

* 원고지 쓰기의 예

	한	국		사	람	은		'	우	리	'		라	는		말	을		자	주		쓴	다	.
이	는		가	족	주	의	에	서		비	롯	되	었	다	.									

한국어능력시험 Real TOPIK Ⅱ

Chapter 01

Real TOPIK Ⅱ 1회

읽기 (1번~50번)

읽기 (1번 – 50번)

※ [1~2] (　　　　)에 들어갈 가장 알맞은 것을 고르십시오. (각 2점)

01. 어렸을 때는 음악을 자주 (　　　　) 요즘은 바빠서 들을 수 없어요.

① 듣곤 했는데　② 들을 테니까
③ 듣는 데다가　④ 듣는 바람에

02. 어제는 서 있기가 (　　　　) 너무 피곤했어요.

① 힘들다시피　② 힘들 정도로
③ 힘들더라도　④ 힘든 데 반해

※ [3~4] 다음 밑줄 친 부분과 의미가 비슷한 것을 고르십시오. (각 2점)

03. 기다리다가 지금 막 가려던 참이었어.

① 가는 길이었어　② 가려고 했어
③ 가기를 바랐어　④ 가는 척했어

04. 아픈 친구를 간호하느라 시험공부를 제대로 할 수 없었다.

① 간호해야　② 간호하기 위해서
③ 간호했지만　④ 간호했기 때문에

※ [5~8] 다음은 무엇에 대한 글인지 고르십시오. (각 2점)

05.

심심할 때 생각나는 앱! 현실보다 더 짜릿한 재미!
지금 바로 스마트폰에서 다운로드 받아서 사용해 보세요.

① 음식 ② 게임 ③ 사탕 ④ 휴대폰

06.

작심삼일은 이제 그만!
건강한 몸! 아름다운 몸매!
당신의 숨겨진 S라인을 찾아 드리겠습니다.

① 식당 ② 학원 ③ 옷가게 ④ 헬스클럽

07.

제한 속도보다 더 천천히. 학교 앞에서는 속도를 줄이십시오.
작은 실천이 우리의 아이들을 지킬 수 있습니다.

① 건강 관리 ② 학교 홍보 ③ 교통 안전 ④ 행사 안내

08.

- 본 상품권은 현금 교환이 불가합니다.
- 금액의 80%이상 사용하신 경우 잔액을 돌려 받을 수 있습니다.
- 온라인, 오프라인 매장에서 모두 사용하실 수 있습니다.

① 이용 안내 ② 복용방법 ③ 구입 문의 ④ 상품 안내

※ [9~12] 다음 글 또는 그래프의 내용과 같은 것을 고르십시오. (각 2점)

09.

새해 소원 연 날리기 무료 행사 신청

- 일시: 1월 1일 (오전 10시)
- 장소: 한국민속촌
- 신청기간: 12월 20일~12월 30일
- 신청방법: 한국 민속촌 홈페이지에서 예약 접수 (당일 현장에서 예약 접수 확인 후 입장권 발급)
- 신청인원: 선착순 300명
- 문의: 한국민속촌 031) 256- 7896

① 연 날리기 행사는 10일동안 한다.
② 300명만 이 행사에 참여할 수 있다.
③ 행사 당일 현장에서 예약 하면 된다.
④ 소원 연 날리기를 할 때 참가비를 낸다.

10.

성별에 따른 연말 모임의 부담 요인

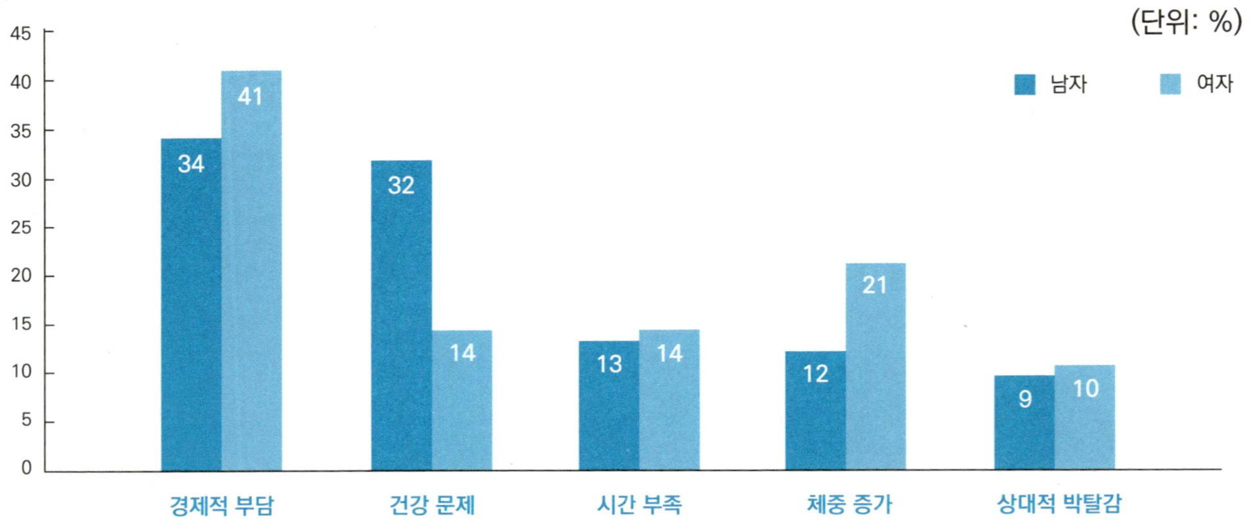

① 남자는 상대적인 박탈감이 가장 높은 부담 요인이다.
② 여자는 건강 문제와 시간 부족이 가장 낮은 부담 요인이다.
③ 남자와 여자 모두 경제적인 부분을 가장 큰 부담 요인으로 응답하였다.
④ 위 그래프를 통해 남자가 여자보다 체중 증가에 더 민감함을 알 수 있다.

11.

최근 스마트폰이 대중화가 되면서 사람들은 언제든지 필요한 자료를 검색할 수 있고 사람들과 소통할 수 있는 기회가 더 많아졌다. 하지만 우리 생활에 많은 부분을 스마트폰을 사용해서 해결하다 보니 스마트폰이 없으면 불안감을 느끼는 사람들이 많아지게 되었다. 이러한 스마트폰 중독 현상을 줄이기 위해서는 잠시 스마트폰을 멀리하는 것도 좋은 방법이다.

① 최근 여러 가지 중독 현상들이 있다.
② 예전보다 사람들과의 소통이 힘들어졌다.
③ 스마트폰으로 다양한 정보를 찾을 수 있다.
④ 스마트폰에 대한 의존도가 점점 낮아지고 있다.

12.

최근 무인 편의점과 같이 사람이 직접 운영하지 않는 가게들이 늘어나고 있는 가운데 한 동네 앞에 무인 커피숍이 생겨 동네 주민들이 관심을 보이고 있다. 이 커피숍은 커피뿐 아니라 다른 음료도 마실 수 있고 매장 안에 테이블이 있어 사람을 만나 이야기를 하거나 혼자 책을 읽을 수도 있다. 특히 일반 커피숍에 비해 커피, 음료 가격이 저렴하여 이용자들이 부담없이 이곳을 찾고 있다.

① 동네 주민들이 무인 커피숍을 열었다.
② 공부하기 좋아서 학생들이 많이 이용한다.
③ 사람이 직접 운영하지 않는 커피숍이 생겼다.
④ 커피에 비해 음료수 가격이 비싸서 부담스럽다.

※ [13~15] 다음을 순서대로 맞게 배열한 것을 고르십시오. (각 2점)

13.

(가) 공연장 안에는 전통 악기와 현대식 악기들이 같이 있었다.
(나) 전통과 현대의 음악이 함께 연주되는 걸 들어 보니 또 다른 느낌이었다.
(다) 그동안 한국의 전통음악은 들어본 적이 없어서 기대가 되었다.
(라) 오늘 한국 친구와 함께 한국의 전통음악 공연장에 견학을 갔다.

① (라) - (다) - (나) - (가)
② (라) - (다) - (가) - (나)
③ (다) - (라) - (가) - (나)
④ (다) - (가) - (나) - (라)

14.

(가) 이런 이유로 친환경 기술을 개발하여 문제를 해결하고자 노력하고 있다.
(나) 하지만 과학 기술이 인간의 삶을 편리하게 한다는 것 또한 사실이다.
(다) 환경 단체는 과학 기술의 발전으로 인해 환경이 파괴되었다고 주장한다.
(라) 인간의 편리한 삶을 위해서 더 이상 환경이 파괴되면 안 될 것이다.

① (다) - (가) - (라) - (나)
② (라) - (가) - (다) - (나)
③ (다) - (나) - (라) - (가)
④ (라) - (다) - (나) - (가)

15.

(가) 나라마다 서로 다른 문화를 이해하고 받아들이는 일은 매우 중요하다.
(나) 타문화를 이해하지 못하면 다른 나라 문화를 배척하게 된다.
(다) 그러므로 문화의 다양성을 인정하는 태도가 필요하다.
(라) 그러다 결국 나라와 나라 간의 분쟁의 원인이 되기도 한다.

① (나) - (가) - (다) - (라)
② (가) - (나) - (라) - (다)
③ (나) - (가) - (라) - (다)
④ (가) - (라) - (다) - (나)

※ [16~18] 다음을 읽고 (　　　　)에 들어갈 내용으로 가장 알맞은 것을 고르십시오. (각 2점)

16.

주 5일 근무제가 시행되고 많은 시간이 흘렀지만 여전히 여가 시간을 제대로 즐기는 사람이 많지 않다. 대부분 사람들이 휴일에 집에서 늦잠을 자거나 텔레비전을 보는 등 (　　　　) 보내는 경우가 더 많다. 한 연구 결과에 따르면 휴일에 적당한 운동을 하거나 취미생활을 하면서 보내면 삶에 더 활력이 생긴다고 한다. 앞으로는 여가 시간을 잘 보내기 위해 계획을 세우고 건강한 삶을 살아가도록 노력해야 할 것이다.

① 평일과 비슷하게　　② 무의미하게 시간을
③ 하고 싶은 것을 하며　　④ 바쁘고 급하지 않게

17.

만 16세 미만 청소년의 심야시간 인터넷 게임 이용을 제한하는 법이 앞으로도 더 유지된다. 청소년들이 게임에 중독되는 것을 방지하기 위해 청소년들은 밤 12시부터 오전 6시까지 (　　　　) 수 없다.

이 법은 2011년부터 시행되었고 개인정보를 요구하는 게임들은 모두 적용 대상이 된다. 하지만 해외 사이트는 적용 대상에서 제외되어 적용 기준이 모호하다는 비판을 받고 있다.

① 밖에 돌아다닐　　② 인터넷을 사용할
③ PC방을 이용할　　④ 온라인 게임에 접속할

18.

SNS의 대중화로 사람들끼리 의견을 공유하는 기회가 늘어나게 되었다. 기업에서 생산한 제품도 SNS에서 활동하는 사람들의 반응과 의견에 따라서 제품의 성공과 실패가 좌우되는 경우가 더 많다. 그래서 기업은 제품을 개발하기 전에 고객의 의견을 반영하기도 한다. 실제로 이용 후기 및 주변 사람들의 추천에 의해 구매 비중이 높아지고 있다는 점에서 기업들은 (　　　　) 중요하게 생각하고 있다.

① 상품 개발 단계를　　② 성공가능한 제품 생산을
③ 고객과의 소통을　　④ SNS에서 물건을 파는 것을

※ [19~20] 다음을 읽고 물음에 답하십시오. (각 2점)

대부분의 나라에서는 0살에서 시작하여 생일을 기준으로 나이를 계산한다. (　　　) 한국은 태어나는 순간부터 1살이 되고 해가 바뀔 때마다 1살씩 나이를 더하는 방식을 사용한다. 이는 배 속 태아를 소중히 여기는 생명 존중의 영향으로 볼 수 있다. 물론 한국에서도 한국식 나이와 다른 나라 나이 기준인 '만 나이'를 따로 명시하기도 한다. 이 때문에 외국 학생들은 한국식 나이로 인해서 혼란을 겪는 경우가 종종 발생하기도 한다.

19. (　　　)에 들어갈 알맞은 것을 고르십시오.

① 하지만　　② 따라서
③ 마침내　　④ 그리고

20. 이 글의 내용과 같은 것을 고르십시오.

① 외국 학생에게 한국식 나이 계산법이 익숙하다.
② 나이를 계산하는 방법이 나라마다 다 달라서 복잡하다.
③ 한국식 나이 계산법은 배 속의 태아를 존중하는 의미가 있다.
④ 만 나이는 태어나자마자 1살이 되고 해가 바뀌면 1살씩 더한다.

※ [21~22] 다음을 읽고 물음에 답하십시오. (각 2점)

한국의 '빨리빨리 문화'는 예전부터 전해져 내려온 문화가 아니라 현대 사회에 생겨난 문화이다. 옛날에는 여유를 갖고 행동하는 것이 좋다고 생각했다. 하지만 1960~70년대 이후 경제 성장에 점점 (   ) 사람들의 생활이 바빠지게 되었다. 이런 생활 속에서 '빨리빨리 문화'가 생겨나게 되었고 그 영향으로 사람들의 생활에 여유가 없어지고 재촉하고 기다릴 줄 모르는 모습 등 부정적인 모습이 나타났다. 하지만 짧은 시간 안에 경제 발전을 할 수 있었던 점, 새로운 것에 빨리 적응을 하는 모습 등의 긍정적인 모습도 나타나게 되었다.

21. (   )에 들어갈 알맞은 것을 고르십시오.

① 박차를 가해
② 등을 돌리며
③ 진땀을 흘리며
④ 물불 가리지 않고

22. 이 글의 중심 생각을 고르십시오.

① 빨리빨리 문화는 한국의 전통 문화이다.
② 새로운 것에 대한 부정적인 측면이 많이 있다.
③ 예전에는 느리게 행동하는 것이 좋다고 여겼다.
④ 빨리빨리 문화는 긍정적, 부정적 측면이 모두 있다.

※ [23~24] 다음을 읽고 물음에 답하십시오. (각 2점)

나는 종종 편의점에서 도시락으로 한 끼를 해결한다. 편의점 도시락의 가격은 3천 원 정도로 맛도 크게 나쁘지 않다. 또한 갈수록 편의점간의 도시락 경쟁도 치열해지고 있다. 지속되는 경제 불황과 1인 가구의 증가로 인해 저렴하면서 간편하게 먹을 수 있는 편의점 도시락을 선호할 수밖에 없다는 전문가들의 의견도 있다. 혼자 밥을 먹는 사람들이 늘어나면 다 같이 식사하는 문화가 사라질 것이라는 <u>우려의 목소리도 적지 않다.</u> 예전과 달리 요즘은 식당, 카페 등에서 혼자 식사를 하거나 커피를 마시며 혼자만의 시간을 보내는 사람들을 자주 볼 수 있다. 이런 추세라면 앞으로 사람과 사람간의 만남이 줄어들고 개인생활을 즐기는 사람들을 위한 문화가 생겨날 것이라 생각된다.

23. 밑줄 친 부분에 나타난 의미로 알맞은 것을 고르십시오.

① 편안하다
② 짜증난다
③ 걱정한다
④ 조용하다

24. 이 글의 내용과 같은 것을 고르십시오.

① 편의점 도시락은 가격이 저렴한 편이다.
② 아직도 편의점 도시락을 싫어하는 사람들이 많다.
③ 개인생활을 원하는 사람들이 점점 줄어들고 있다.
④ 1인 가구가 증가하면 혼자 식사하는 문화가 사라질 것이다.

※ [25~27] 다음은 신문 기사의 제목입니다. 가장 잘 설명한 것을 고르십시오. (각 2점)

25.

냉탕과 온탕을 오가는 이상한 겨울, 이번 주는 전국이 꽁꽁

① 이번 주는 겨울의 날씨가 예전에 비해 춥지 않다.
② 이번 겨울은 이상 기온 현상으로 줄곧 날씨가 춥다.
③ 겨울 날씨임에도 불구하고 따뜻한 날씨가 이번 주 지속되고 있다.
④ 따뜻했다가 추웠다가를 반복하던 날씨가 이번 주는 전국적으로 춥다.

26.

자동차 배출가스 조작 사실 알고도 제조사 쉬쉬!

① 자동차 배출가스 조작에 대해 제조사가 알렸다.
② 자동차 배출가스 조작에 대해서 제조사도 몰랐다.
③ 자동차 배출가스 조작은 알고 보니 잘못된 사실로 밝혀졌다.
④ 자동차 배출가스 조작에 대한 내용을 알고 있었지만 모른 척했다.

27.

식탁 경제 비상! 서민들 삶 더 어려워져……

① 서민들의 삶은 어려워졌지만 음식점의 장사는 잘 된다.
② 식탁 위의 음식이 위험해져서 서민들의 건강이 걱정된다.
③ 물가가 상승하면서 식품의 가격이 올라서 생활이 어려워질 것이다.
④ 물가가 하락하면서 서민들의 생활은 더 어려워질 것이다.

※ [28~31] 다음을 읽고 (   )에 들어갈 내용으로 가장 알맞은 것을 고르십시오. (각 2점)

28.

한국어에는 웃어른뿐만 아니라 상대방에 대한 존중과 존경의 뜻으로 존댓말을 사용한다. 비록 존대의 표현을 사용하더라도 그 안에서 존중과 배려의 마음이 드러나지 않는다면 그것은 존댓말을 사용한 것이라고 할 수 없을 것이다. 또한 상대방이 말을 할 때 (   ) 진심으로 경청하는 자세를 보이는 것도 존댓말의 시작이라고 할 수 있다.

① 귀를 기울이고
② 뜻을 이해하지 않고
③ 존대 표현을 하지 않지만
④ 자신이 할 말을 생각하면서

29.

여름이 다가오면 쉽게 피곤해지고 오후에 졸음이 오는 경우가 많다. 이는 계절이 변화하면서 우리 몸이 계절의 변화에 제대로 적응하지 못할 때 발생하게 되는 현상이다. 여름은 겨울보다 밤이 짧아 수면 시간이 상대적으로 줄어들고, 기온이 높아져서 나른한 느낌을 많이 받게 된다. 그렇기 때문에 규칙적으로 (   ) 피로감을 덜 느끼게 된다고 한다. 실내에서도 할 수 있는 스트레칭으로 식사 후에 밀려오는 식곤증을 예방할 수 있다.

① 식사를 적당히 하면
② 몸을 시원하게 하면
③ 가벼운 운동을 하면
④ 밤에 잠을 많이 자면

30.

최근 반려동물에 대한 관심이 늘어나면서 반려동물을 키우는 사람들이 많아졌다. 이와 관련하여 가족이 모두 한 자리에 모이는 설 명절을 앞두고 반려동물의 한복 구매율이 작년에 비해 10배가량 늘어 눈길을 끌고 있다. 이는 (   ) 사람들이 늘어나면서 나타나게 된 현상으로 보인다. 이러한 반응에 판매업체에서도 반려동물용 한복을 다양한 스타일과 저렴한 가격대로 부담 없이 선택할 수 있도록 상품을 출시하고 있다.

① 동물 패션에 관심이 많은
② 명절을 더욱 중요하게 생각하는
③ 동물을 사랑하고 행복을 걱정하는
④ 반려동물을 내 가족처럼 생각하는

31.

대나무가 우거진 숲길에 가면 청량감을 느낄 수 있다. 이것은 대나무 숲에서 뿜어내는 음이온 때문이다. 보통 음이온이 700가량 발생하게 되면 시원함을 느끼게 되는데 대나무 숲에서는 1200~1700 정도의 음이온이 나온다. 특히 비가 오는 날이면 음이온이 10배 정도 더 발생하게 된다. 또한 예로부터 대나무는 한겨울에도 푸르고 비바람에도 굽히지 않기 때문에 (   ) 상징하는 말로 사용되기도 하였다.

① 건강하게 사는 것을
② 오래도록 변하지 않는 믿음을
③ 어려서부터 숲속에 사는 사람을
④ 상황에 따라 쉽게 바뀌는 모습을

※ [32~34] 다음을 읽고 내용이 같은 것을 고르십시오. (각 2점)

32.

발은 양말이나 신발 등으로 인해 드러나지 않기 때문에 상대적으로 신경 쓰기가 쉽지 않다. 그렇다고 소홀히 두면 악취, 무좀, 물집 등 잔병이 생기기 쉬운 부위이다. 그렇기 때문에 관리가 중요하다.

이러한 발의 질병은 불편한 신발로 인해 생기는 경우가 많다. 발에 꽉 끼는 신발이나 굽이 높은 신발을 오래 신게 되면 발에 문제가 생길 수 있다. 따라서 신발을 고를 때는 엄지발가락 부분과 뒤꿈치 부분의 공간이 넉넉하고 발이 움직일 때 편안한 것을 고르는 것이 좋다. 또한 저녁에 발이 조금 부어있기 때문에 신발을 구입할 때는 낮보다 저녁에 가는 것이 좋다.

① 신발은 낮에 구입하는 것이 좋다.
② 발은 관리해도 상대적으로 잔병이 생기기 쉽다.
③ 불편한 신발을 신으면 발 건강에 문제가 될 수 있다.
④ 사람들은 발이 겉으로 드러나지 않아도 더 신경을 쓴다.

33.

현대인들은 스트레스를 많이 받고 있지만 스트레스를 극복하기 위해서 별다른 노력을 하지 않는 경우가 더 많다. 하지만 스트레스를 많이 받으면 공간지각 능력이 떨어진다는 연구 결과가 나왔다. 공간지각 능력이란 공간의 관계나 공간간의 위치를 파악하는 능력을 말한다. 이 같은 능력은 일상생활에 필요한 걷고, 운전하고, 물건을 잡고, 물건을 사용하는 등 많은 분야에서 사용되는 중요한 기능이다.

스트레스를 자주 받으면 불안하고, 잠을 잘 잘 수 없으며, 소화가 잘 되지 않는 등의 이상 증상이 나타날 수 있다. 따라서 평소에 스트레스가 느껴진다면 방치하지 말고 그때그때 해소해 주는 것이 좋다.

① 스트레스는 공간지각 능력과 관계가 있다.
② 현대인들은 스트레스를 해소하기 위해서 많은 노력을 하고 있다.
③ 스트레스는 정신 건강에는 좋지 않지만 일상생활과는 상관이 없다.
④ 스트레스를 해소하면 불안, 불면, 소화불량 등의 증상이 나타나기도 한다.

34.

공정무역은 생산자와 소비자의 상호존중을 기반으로 국제무역이 보다 공정하게 이루어지도록 힘쓰는 사회운동이다. 공정무역은 생산자들이 공정한 환경에서 상품을 생산해 낼 수 있도록 하는 데에 목적이 있다. 따라서 공정무역의 방식으로 상품을 생산하면 생산자들에게 공정한 가격을 지불할 수 있고, 합리적인 노동환경 및 조건, 환경보호 등의 원칙을 지키면서 생산할 수 있다. 또한 소비자의 입장에서는 윤리적이고 현명한 소비를 할 수 있게 된다. 이에 해당되는 교역품목은 수공예품·커피·코코아·차·바나나·꿀·면·와인·과일 등이다. 한국에서도 2000년대 초부터 일부 시민단체를 중심으로 공정무역 운동과 사업이 시작되어 현재 점차 확산되고 있는 추세이다.

① 공정무역은 소비자들의 공정한 소비를 위한 사회운동이다.
② 공정무역을 통해 생산자들은 공정한 가격을 지불받게 된다.
③ 공정무역을 실시하면 생산자는 더 많은 상품을 생산할 수 있게 된다.
④ 현재 한국에서는 공정무역의 방식으로 생산한 상품을 찾아보기 어렵다.

※ [35~38] 다음 글의 주제로 가장 알맞은 것을 고르십시오. (각 2점)

35.

직업을 고를 때는 자신의 적성, 가치관, 성격 등을 고려하여 선택해야 한다. 아무리 좋은 직장이라고 할지라도 일이 적성에 맞지 않는다면 흥미를 느낄 수 없게 되어 쉽게 지치고 피로를 느끼게 될 것이다. 또한 남을 돕는 일에 보람을 느끼는 사람, 경제적으로 부유한 것에 만족을 느끼는 사람, 권력을 최고의 가치로 여기는 사람 등 각자 우선으로 생각하는 가치에 따라 직업을 선택하는 것도 중요하다. '친구 따라 강남 간다'는 말이 있다. 자신이 원하는 것이 무엇인지에 대한 고민 없이 남들이 하는 것을 따라 한다는 말을 일컫는 속담이다. 따라서 어떠한 직업을 선택했을 때 가장 자신과 잘 맞는지 판단하여 남들이 하는 것 말고, 자신의 성격에 맞는 직업을 선택하는 것이 좋을 것이다.

① 적성에 맞지 않는 일을 하면 쉽게 피로해진다.
② 남들이 많이 하는 직업을 선택하는 것이 좋다.
③ 자신에게 중요한 가치에 따라 직업을 선택할 수 있다.
④ 직업은 가치관, 적성, 성격 등을 고려해서 선택해야 한다.

36.

상대의 얼굴을 볼 수 없다고 해서 사람이 존재하지 않는 것은 아니다. 인터넷 저편의 네티즌은 나처럼 사랑하는 가족과 친구들이 있는 존재임을 인식해야 한다. 상대방을 나의 가족으로, 친구로, 연인으로 여긴다면 어떻게 감히 음담패설이나 욕설을 담을 수가 있겠는지 다시 한 번 더 생각해 봐야 한다.

인터넷은 우리에게 많은 정보를 제공해 주어 우리의 생활을 편리하게 만들어 주었다. 그러나 편리를 누릴 줄만 알아서는 안 된다. 정보의 바다라 불리는 인터넷 공간을 아름답게 가꾸어 나가는 것은 바로 그것을 사용하는 네티즌들의 몫이다.

① 인터넷은 익명성이 보장되지 못한다.
② 인터넷 안에는 사람이 존재하지 않는다.
③ 인터넷 공간에서 모두 직접 만날 수 있다.
④ 인터넷상에서 무책임한 행동을 해서는 안 된다.

37.

지난해 '국민 독서실태 조사'를 실시한 결과 성인의 연평균 독서율이 전년도에 비해 6%나 떨어진 것으로 밝혀졌다. 1년 동안 성인 3명 중 1명은 책을 한 권도 읽지 않았다는 것을 의미한다. 이는 조사를 시작한 이래로 가장 낮은 수치이다. 반면에 1권 이상 책을 읽는 성인을 기준으로 한 독서량은 늘었다. 이는 독서 인구는 줄었지만 책을 읽는 사람들은 더 많은 책을 읽는다는 것을 의미한다. 설문에 참여한 많은 사람들은 스스로 독서량이 부족한 것을 인식하고 있었고 '시간이 부족해서'를 가장 많은 원인으로 꼽았다.

① 책을 읽는 사람들이 점차 늘기를 희망한다.
② 성인 3명 중 1명은 책을 한 권 이상 읽고 있다.
③ 성인들의 평균 독서 시간이 점점 줄어들고 있다.
④ 지난해 성인의 연평균 독서율이 그 전보다 줄었다.

38.

밖에서 찬바람을 맞고 실내로 들어오면 온몸이 나른해지는 것을 느끼게 된다. 상대적으로 겨울에는 실내에서 보내는 시간이 많기 때문에 이럴 때일수록 건강에 도움이 되는 음식을 통해 건강관리를 하는 것도 좋은 방법이 될 것이다. 호두, 아몬드, 땅콩 등과 같은 견과류는 건강에 좋은 지방이 많이 들어있고 신체 활동에 필요한 에너지를 발생해 주기 때문에 오후에 배고픔을 느낄 때 과자나 빵을 먹기보다 견과류를 먹으면 도움이 된다. 또한 피곤함을 자주 느낀다면 달걀을 먹는 것도 도움이 되며 생선과 녹색 채소도 신체에 부족한 영양소를 보충해 줄 수 있다.

① 과자나 빵을 자주 먹는 것은 건강에 좋은 습관이다.
② 겨울에는 안전을 위해서 실내에서 활동하는 것이 좋다.
③ 겨울철에는 음식을 통해서 건강관리를 하는 것도 좋은 방법이다.
④ 달걀에는 영양소가 부족하기 때문에 다른 걸로 영양소를 보충해야 한다.

※ [39~41] 다음 글에서 〈보기〉의 문장이 들어가기에 가장 알맞은 곳을 고르십시오. (각 2점)

39.

(㉠) 폐휴대폰 수거 캠페인이란, 사용하지 않는 휴대폰을 수거한 후 재활용이 가능한 휴대폰은 수리해서 사회경제적으로 어려운 사람들에게 무료로 제공하고, (㉡) 사용할 수 없는 휴대폰은 폐기하여 나오는 수익금으로 이들의 통신비를 지원해 주는 활동이다. (㉢) 휴대폰을 그냥 쓰레기로 버리게 되면 환경을 오염시키게 되는데 재활용을 하는 것만으로도 환경을 보호 하는 일이 될 수 있다. (㉣) 이와 같은 활동을 통해 환경도 보호하고 어려운 이웃도 돕고 할인 혜택도 받을 수 있으면 일석 삼조라고 할 수 있지 않을까?

〈보기〉

또한 휴대폰을 기증한 사람에게는 추후에 사용가능한 할인 쿠폰을 준다.

① ㉠ ② ㉡ ③ ㉢ ④ ㉣

40.

오늘날 사회는 의학 기술의 발달로 인해 인간의 평균 수명이 늘어나게 되면서 노인 인구의 비율이 점차 늘고 있는 추세이다. (㉠) 우리의 인식이 변하면 노인 문제의 심각성을 빨리 깨닫게 된다. (㉡) 그리고 앞으로 노인 문제에 대해 더 많은 신경을 써야 할 것이다. (㉢) 또한 노인들이 건강하게 일상생활을 할 수 있도록 다양한 사회 참여 프로그램과 여가 활동 등 사회적 지원이 필요하다. (㉣)

〈보기〉

하지만 인구 구조의 변화 속도와 다르게 노인 문제에 대한 인식의 변화 속도는 이를 따라오지 못하고 있다.

① ㉠　　② ㉡　　③ ㉢　　④ ㉣

41.

수면 자세가 건강을 좌우한다는 연구결과가 나왔다. 잠을 충분히 자지 못하거나 잘못된 자세로 수면을 취했을 경우, 목과 허리에 통증이 생길 수 있다. (㉠) 잠을 잘 때 옆으로 누워 자거나 웅크리고 자면 허리가 아픈 사람들에게 좋지 않다. 또한 목이 안 좋은 사람들의 경우 높은 베개를 베고 자면 상태를 더욱 악화시키게 된다. (㉡) 따라서 자신의 목과 허리의 상태를 정확히 파악하여 적합한 자세를 유지하고 수면을 하는 것이 좋다. (㉢) 등을 바닥에 붙이고 똑바로 누워서 자는 자세는 얼굴이 잠을 자는 동안 베개에 눌리지 않아 주름이 덜 생겨 피부에 좋다는 장점이 있지만 옆으로 자는 사람보다 코골이와 수면 무호흡증이 걸릴 확률이 2배나 높다. (㉣)

〈보기〉

반대로 배를 대고 엎드리고 잠을 자면 피부 건강을 해치고 주름 생성의 원인이 되기 때문에 이런 자세도 피해야 한다고 한다.

① ㉠　　② ㉡　　③ ㉢　　④ ㉣

※ [42~43] 다음을 읽고 물음에 답하십시오. (각 2점)

우리 반에서 가장 인기가 많은 친구는 안나다. 안나는 독일 사람인데 정말 못하는 것이 없는 재주꾼이다. 그래서 우리는 모두 안나를 팔방미인이라고 부른다. 안나는 춤이며 노래며 공부며 못하는 것이 없다. 특히 태권도를 너무나 좋아해서 한국에 왔을 정도로 한국을 너무나 사랑한다고 한다. <u>독일 사람임에도 불구하고 어찌나 한국 문화를 잘 아는지 오히려 한국 친구들보다 한국 문화를 더 잘 알아서 신기할 때가 많다.</u>

또 반에서 친구가 우울해하기라도 하면 친구 옆에서 이야기도 하고 위로도 하면서 기분을 풀어주려고 노력하기도 한다. 그래서 우리 반 친구들은 모두 안나를 좋아한다. 안나 덕분에 유학 생활이 좀 더 즐겁고 행복하다.

42. 밑줄 친 부분에 나타난 필자의 심정으로 알맞은 것을 고르십시오.

① 놀라움 ② 미안함
③ 혼란스러움 ④ 당혹스러움

43. 이 글의 내용과 같은 것을 고르십시오.

① 안나는 얼굴이 예쁜 사람이다.
② 안나는 독일 사람이라서 한국 문화는 잘 모른다.
③ 안나는 우울해하는 친구를 위해 함께 우울해한다.
④ 안나는 노래도 잘하고 춤도 잘 추고 공부도 잘하는 편이다.

※ [44~45] 다음을 읽고 물음에 답하십시오. (각 2점)

평생을 검소하게 살면서 모은 전 재산을 한 대학교에 기부한 할머니의 이야기가 화제이다. 할머니께서는 가난한 생활로 배움을 포기하고 일찍부터 공장에 다니면서 일을 하셨다. 그래서 자신처럼 가난으로 인해 배움을 포기하는 학생들이 없었으면 하는 마음에서 기부를 하시게 되셨다고 한다. 평소 할머니께서는 버스비를 아끼려고 걸어서 다니시고 소식(小食)을 하시는 등 검소하고 청빈하게 살아가시면서 한 푼 두 푼 돈을 모으셨다. 이렇게 아끼며 모으신 전 재산을 기부하시면서도 가진 것이 이것밖에 없어서 부끄럽고 미안하다고 하셨다. 이밖에도 사회 곳곳에서 힘겹게 살아가고 있는 어려운 이웃들에게 도움의 손길을 보내는 사례가 이어지고 있다.

44. 이 글의 제목으로 가장 알맞은 것을 고르십시오.

① 검소한 생활
② 기부의 방법
③ 어려운 이웃
④ 서로 돕는 세상

45. 이 글 다음에 이어질 내용으로 알맞은 것을 고르십시오.

① 기부 이후의 할머니의 생활 모습
② 대학교에서 기부금을 사용한 사례
③ 어려운 이웃을 돕는 사람들의 사례
④ 힘겹게 살아가고 있는 사람들의 모습

※ [46~47] 다음을 읽고 물음에 답하십시오. (각 2점)

우리는 살면서 얼마나 많은 세균에 노출되면서 살고 있는 것일까? 평소에 우리가 미처 생각하지 못했던 곳에 많은 양의 세균이 자라고 있다는 사실을 기억해야 할 것이다.

매일 사용하는 칫솔에는 평균 1000만 마리 정도의 세균이 살고 있다고 한다. 일반적인 바이러스부터 감기 바이러스까지 종류도 다양하다. 심지어 더러운 칫솔에서는 건강에 치명적인 간염 바이러스도 발견된다. 따라서 아무리 가까운 사이라도 칫솔을 함께 쓰는 것은 절대 안 된다. 그렇기 때문에 최소한 칫솔은 3개월에 한 번씩 새것으로 교환해야 하며 병을 앓았다면 기간에 상관없이 바로 바꾸는 것이 좋다. 또한 칫솔을 사용하고 난 후 반드시 물기를 털어서 보관해야 하며 한 달에 한 번씩 끓는 물에 5분간 소독해서 사용하는 것도 좋은 방법이다.

46. 이 글에 나타난 대한 글쓴이의 표현 방식으로 알맞은 것을 고르십시오.

① 두 대상을 비교해서 자신의 주장을 말하고 있다.
② 어떤 사실에 대해 설명하는 내용으로 전달하고 있다.
③ 자신의 경험을 바탕으로 느낀 점을 전달하고 있다.
④ 대상을 여러 가지 기준으로 분석해서 전달하고 있다.

47. 이 글의 내용과 같은 것을 고르십시오.

① 칫솔은 물기가 마르지 않는 것이 좋다.
② 최소한 칫솔은 네 달에 한 번 교체하는 것이 좋다.
③ 사용하고 있는 칫솔에서 많은 양의 세균이 자라고 있다.
④ 칫솔이 더러워도 건강에 치명적인 영향을 주지는 않는다.

※ [48~50] 다음을 읽고 물음에 답하십시오. (각 2점)

연예인들과 같이 대중들에게 알려진 공인의 경우 고의적이고 악의적인 내용이 담긴 악성댓글로 인해 고통을 겪는 일이 많다. 악성댓글을 악플이라고도 하는데 이런 악플은 익명이 보장되는 공간에서 이루어지기 때문에 그 위험성이 더 크다고 할 수 있다. 악플에서의 자극적인 내용이 사실과 상관없이 인터넷을 통해 빠르게 퍼져나가며 악플의 피해자들이 겪는 고통은 (   ). 악플을 쓰는 사람들은 어떤 사건에 대해 비판이나 반박을 하는 것이 아니라 무차별적으로 언어 폭력을 가한다. 이런 악플을 막기 위해서 인터넷 실명제를 적극 활용하고 사이버 수사대를 통해서 깨끗하고 건전한 인터넷 문화가 자리 잡힐 수 있도록 노력해야 할 것이다.

48. (   )에 알맞은 것을 고르십시오.

① 우리가 기대하는 것보다 높다.
② 우리가 걱정하는 것보다 낮다.
③ 우리가 원하는 것 이상으로 낮다.
④ 우리가 생각하는 것 이상으로 크다.

49. 이 글의 내용과 같은 것을 고르십시오.

① 대중들에게 사랑을 받는 연예인은 악플의 대상이 되지 않는다.
② 악플을 막기 위해서 인터넷 실명제가 하나의 방법이 될 수 있다.
③ 악플은 익명성이 보장되지 않는 공간에서 더욱 활발하게 이루어진다.
④ 사실과 상관없이 인터넷을 통해 퍼지는 내용은 악플이라고 할 수 없다.

50. 이 글의 중심 생각을 고르십시오.

① 악플은 익명이 보장되는 곳에서 주로 발생한다.
② 악플에 가장 많은 피해를 보는 사람은 연예인이다.
③ 악플이 없는 깨끗하고 건전한 인터넷 문화를 만들어야 한다.
④ 악플을 다는 사람들은 자신의 말에 책임을 질 수 있어야 한다.

한국어능력시험
Real TOPIK Ⅱ

Chapter 02

Real TOPIK Ⅱ 2회

듣기 (1번~50번)

쓰기 (51번~54번)

듣기 (1번 ~ 50번)

※ [1~3] 다음을 듣고 알맞은 그림을 고르십시오. (각 2점)

01. ①

②

③

④

02. ①

②

③

④

03. ①

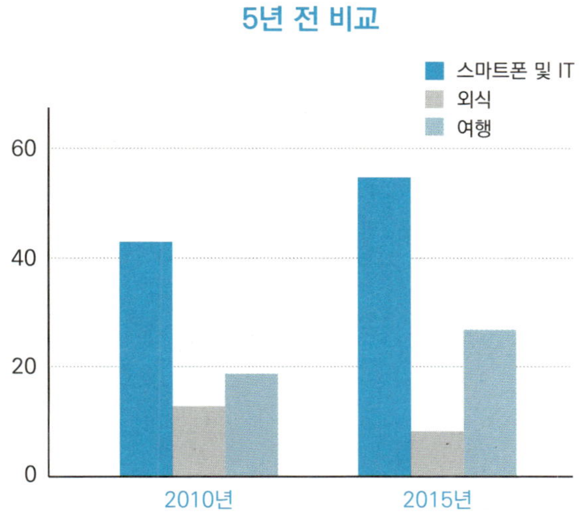

②

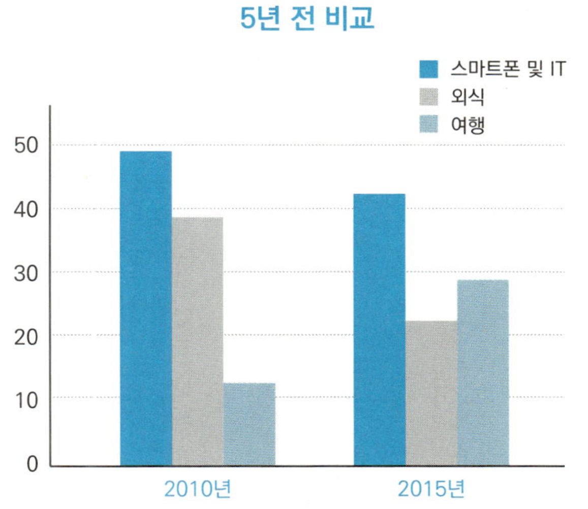

③

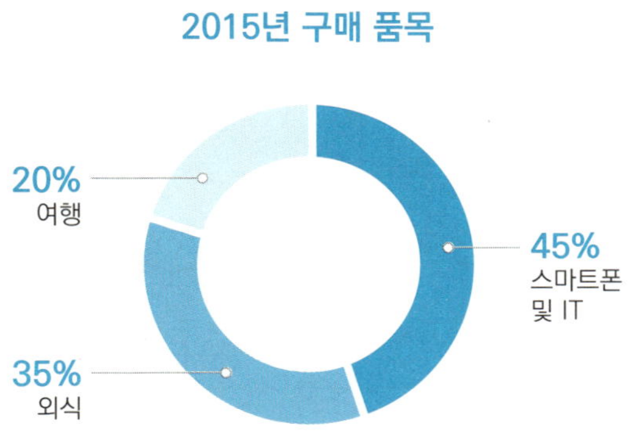

④

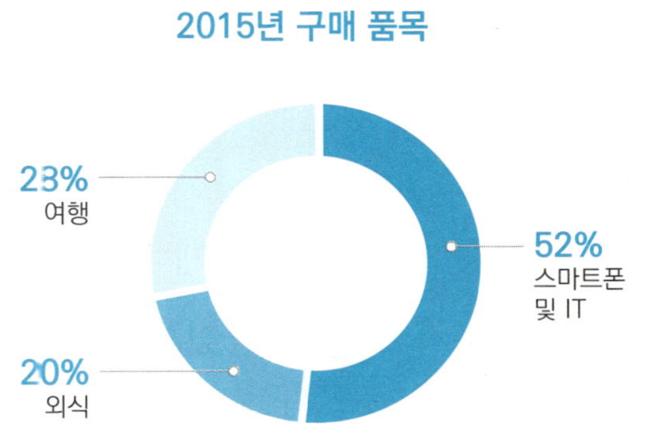

※ [4~8] 다음 대화를 잘 듣고 이어질 수 있는 말을 고르십시오. (각 2점)

04. ① 제 취미는 음악 감상이에요.
② 다음에 저도 꼭 한번 가 봐야겠어요.
③ 요즘 학교 근처에 카페가 너무 많아요.
④ 제 꿈이 한국에서 카페를 여는 것이에요.

05. ① 이미 서류신청 접수가 끝났습니다.
② 일을 해 봐야 알 수 있을 것 같습니다.
③ 길이 막혀서 예정보다 늦게 도착할 뻔 했어요.
④ 지금 보내시면 내일 오후까지 도착할 수 있습니다.

06. ① 내가 더 연습을 할게.
② 내가 이겼으면 좋겠다.
③ 얼마나 재미있는지 몰라.
④ 미안해, 네가 처음인 줄 몰랐어.

07. ① 집안이 넓어 보이고 좋아요.
② 저도 가게에 한번 가 봐야겠어요.
③ 제 휴대폰에 있는 사진 보여드릴게요.
④ 자주 가는 가게 위치 좀 알려 주세요.

08. ① 역시 선물은 비싼 게 최고야.
② 친구가 마음에 들었으면 좋겠다.
③ 그러면 꼭 금반지를 선물해야겠네.
④ 그래, 선물은 주는 사람의 마음이 중요해.

※ [9~12] 다음 대화를 잘 듣고 여자가 이어서 할 행동으로 알맞은 것을 고르십시오. (각 2점)

09. ① 산책하러 나간다.
② 휴게실에서 기다린다.
③ 커피를 사러 편의점에 간다.
④ 친구와 함께 밥을 먹으러 간다.

10. ① 기사님을 기다린다.
② 내일 오전에 집에 돌아온다.
③ 인터넷으로 물건을 반품한다.
④ 경비실에 반품할 물건을 맡긴다.

11. ① 다시 주차를 한다.
② 주차장에 차를 세운다.
③ 주차할 때 뒤에 있는 차를 봐준다.
④ 차에서 내려서 주차된 차를 확인한다.

12. ① 체험 신청서를 작성한다.
② 사진을 가지고 학교로 간다.
③ 유토를 만나서 체험을 하러 간다.
④ 체험 신청을 할 수 있는지 알아본다.

※ [13~16] 다음을 듣고 내용과 일치하는 것을 고르십시오. (각 2점)

13. ① 남자는 오늘도 봉사활동을 하고 왔다.
② 여자는 연탄 봉사활동을 못해서 아쉬워하고 있다.
③ 여자는 다음 달에 일이 있어서 봉사를 못 갈 것 같다.
④ 남자는 할머니, 할아버지들께 연탄을 사 드리고 싶어한다.

14. ① 103동 주민들은 주차장으로 모여야 한다.
② 내일 아파트 전체 주차장 청소를 할 것이다.
③ 아파트 주민이 아닌 분들의 차는 104동에 세우면 된다.
④ 내일 오후 1시부터 3시까지 103동에 주차를 하면 안 된다.

15. ① 인테리어는 색깔이 중요하다.
② 밝은 색으로 맞추면 집 안이 좁아 보일 것이다.
③ 집이 깔끔해 보이지 않으면 정리를 못한 것이다.
④ 서너 가지 색으로 맞추면 집 안이 지저분해 보일 것이다.

16. ① 여자는 퇴직하기 전에 선생님이었다.
② 누구나 이곳에서 한글을 배울 수 있다.
③ 여자는 집안이 가난하여 책을 읽을 수 없었다.
④ 나이 드신 분들에게 한글을 배울 기회가 생겼다.

※ [17~20] 다음을 듣고 남자의 중심 생각을 고르십시오. (각 2점)

17. ① 자신에게 맞는 개성과 스타일을 살려야 한다.
② 연예인이 한 것과 똑같이 따라 하면 예쁘지 않다.
③ 본인 스스로 외모를 가꾸고 꾸미는 것이 중요하다
④ 연예인을 보면서 그 시대에 맞는 유행을 익혀야 한다.

18. ① SNS 활동을 부담스러워한다.
② 많은 친구를 사귀었으면 좋겠다.
③ 자기 개인 생활을 공유해도 괜찮다.
④ SNS를 하는 것이 더 좋다고 생각한다.

19. ① 예능 프로그램은 재미있기만 하면 된다.
② 너무 비현실적인 가상 프로그램은 주의가 필요하다.
③ 현실적이고 진실성이 있는 프로그램이 만들어져야 한다.
④ 가상과 현실을 비교하지 말고 있는 그대로 즐겼으면 좋겠다.

20. ① 부모님의 직업을 직접 체험해 봐야 한다.
② 앞으로 다양하고 새로운 직업들이 많아져야 한다.
③ 청소년들이 꿈을 가지고 적성을 찾는 것이 중요하다.
④ 청소년들은 가지고 있는 직업에 대한 생각을 바꿔야 한다.

※ [21~22] 다음을 듣고 물음에 답하십시오. (각 2점)

21. 남자의 중심 생각으로 맞는 것을 고르십시오.

① 어려운 사람들을 도와주는 마음을 가져야 한다.
② 다른 사람이 사용하던 물건도 내가 사용하면 좋다.
③ 집안을 정리할 때는 함부로 물건을 버리면 안 된다.
④ 자신에게 필요 없는 물건을 기증한다는 것에 대해 좋게 생각하고 있다.

22. 들은 내용으로 알맞은 것을 고르십시오.

① 기증을 하고 난 뒤 돈을 받을 수 있다.
② 다른 사람이 쓸 수 있는 것을 기증해야 한다.
③ 기증 받은 물건들은 비싼 값에 팔리기도 한다.
④ 요즘은 안 입는 옷과 사용하지 않는 물건을 버릴 수 없다.

※ [23~24] 다음을 듣고 물음에 답하십시오. (각 2점)

23. 여자는 무엇을 하고 있는지 고르십시오.

① 장난감 대여에 대해 알아보고 있다.
② 장난감 사용방법에 대해 문의하고 있다.
③ 인터넷으로 장난감 예약을 신청하고 있다.
④ 주민 센터를 방문하여 신청서를 쓰고 있다.

24. 들은 내용으로 맞는 것을 고르십시오.

① 장난감이 뭐가 있는지는 알 수 없다.
② 인터넷으로만 가입 신청을 할 수 있다.
③ 이 동네에 살고 있는 주민만 이용할 수 있다.
④ 2만원을 내면 장난감을 1년 동안 마음대로 빌릴 수 있다.

※ [25~26] 다음을 듣고 물음에 답하십시오. (각 2점)

25. 남자의 중심 생각으로 맞는 것을 고르십시오.

① 특별한 교육방법으로 아이들을 교육시켜야 한다.
② 아이의 교육을 위해서는 부모가 먼저 모범을 보여야 한다.
③ 아이의 교육에는 부모님이 모든 책임감을 갖고 있어야 한다.
④ 어릴 때 공부 잘하는 아이가 커서도 공부를 잘하는 것은 아니다.

26. 들은 내용으로 맞는 것을 고르십시오.

① 이 부부는 유명한 대학에 합격했다.
② 어릴 때 공부를 안 하면 잔소리를 했다.
③ 아이들이 부모님께 칭찬 받기 위해 열심히 공부했다.
④ 부모가 책을 읽으니까 아이들이 따라서 책을 읽었다.

※ [27~28] 다음을 듣고 물음에 답하십시오. (각 2점)

27. 여자가 남자에게 말하는 의도를 고르십시오.

① 연예인 합격에 대해 축하하기 위해
② 연예인 특별전형을 홍보하기 위해
③ 연예인 특별전형을 비판하기 위해
④ 연예인 특별전형이 필요한 이유를 설명하기 위해

28. 들은 내용으로 맞는 것을 고르십시오.

① 연예인들이 대학에 입학하면 열심히 공부한다.
② 남자가 보기에 김정우라는 영화배우는 연기를 잘 한다.
③ 학교에서 배우는 공부보다 현장에서 배우는 것이 더 중요하다.
④ 연예인들은 대부분 본인이 가고 싶은 전공을 선택하는 경우가 많다.

※ [29~30] 다음을 듣고 물음에 답하십시오. (각 2점)

29. 남자는 누구인지 고르십시오.

① 역사학자
② 패션 디자이너
③ 공연 기획자
④ 관광지 해설자

30. 들은 내용으로 맞는 것을 고르십시오.

① 이번 패션쇼에서는 한국 고유의 전통 음악을 사용하였다.
② 경주 시민들을 위한 패션쇼이기 때문에 경주에서 열린다.
③ 이 남자는 문화유산인 경주를 세계에 널리 알리려고 한다.
④ 이 남자는 이번 무대에서 각국 전통의 의상을 보여 줄 예정이다.

※ [31~32] 다음을 듣고 물음에 답하십시오. (각 2점)

31. 남자의 생각으로 맞는 것을 고르십시오.

① 종량제 봉지 값이 인상되는 것에 반대하고 있다.
② 이 정책이 모든 지역으로 확대되어야 한다고 생각한다.
③ 이 정책을 시행하면 앞으로 환경적으로 도움이 될 수 있다.
④ 이 정책을 시행해도 음식물 배출량이 감소에 도움이 되지 않는다.

32. 남자의 태도로 맞는 것을 고르십시오.

① 다른 사람의 의견에 지지를 하고 있다.
② 상대방이 이해를 못하자 주제를 설명하고 있다.
③ 여러 가지 방법을 제시하며 해결책을 찾고 있다.
④ 근거를 들어 상대방의 주장을 부드럽게 반박하고 있다.

※ [33~34] 다음을 듣고 물음에 답하십시오. (각 2점)

33. 무엇에 대한 내용인지 맞는 것을 고르십시오.

① 어려움에 대한 문제 해결 방법
② 현실적인 고민을 없애는 해소법
③ 인생에서 힘든 일이 일어나는 원인
④ 다양한 문제를 판단할 수 있는 능력

34. 들은 내용으로 맞는 것을 고르십시오.

① 최악의 상황을 예측하다 보면 판단력이 흐려지게 된다.
② 마음이 침착해지면 문제를 객관적으로 해결할 수 없다.
③ 어떤 문제가 생기면 피하지 말고 문제를 인정해야 한다.
④ 걱정거리가 없어져야 마음이 홀가분해지고 안정감이 생긴다.

※ [35~36] 다음을 듣고 물음에 답하십시오. (각 2점)

35. 남자는 무엇을 하고 있는지 맞는 것을 고르십시오.

① 느린 우체통이 가지고 있는 의미를 설명하고 있다.
② 느린 우체통의 사용방법에 대해 꼼꼼히 설명하고 있다.
③ 느린 우체통을 많은 시민들이 사용하기를 요청하고 있다.
④ 느린 우체통이 현대 사회에 꼭 필요하다는 필요성을 강조하고 있다.

36. 들은 내용으로 맞는 것을 고르십시오.

① 손으로 편지를 쓰면 현대인들은 답답해한다.
② 많은 사람들에게 부지런히 편지를 배달할 예정이다.
③ SNS를 통해 시민들의 다양한 이야기를 알 수 있다.
④ 요즘 세대들에게 옛날 소통 방식을 느끼게 해 주고 싶다.

※ [37~38] 다음을 듣고 물음에 답하십시오. (각 2점)

37. 남자의 중심 생각으로 맞는 것을 고르십시오.

① 이 질병의 원인을 찾는데 힘을 써야 한다.
② 다른 부작용은 없는지 연구를 통해 계속 찾아야 한다.
③ 현대 사회에서 어쩔 수 없으므로 다른 방법을 개발해야 한다.
④ 스마트 폰의 부작용이 심각하다는 것을 깨닫고 습관을 바꿔야 한다.

38. 들은 내용과 일치하는 것을 고르십시오.

① 최근 들어 40대에서 진짜 치매 환자가 줄고 있다.
② 디지털 치매는 조기에 발견하면 약물로 치료가 가능하다.
③ 머리로 생각하고 뇌를 많이 사용하는 것이 치매를 막을 수 있다.
④ 요즘 디지털 기기의 기억력과 계산 능력이 떨어지는 증상이 나타나고 있다.

※ [39~40] 다음을 듣고 물음에 답하십시오. (각 2점)

39. 이 대화 앞의 내용으로 알맞은 것을 고르십시오.

① 50년 전의 손님이 지금도 찾아오고 있다.
② 50년 동안 다양한 방법으로 맛을 개발했다.
③ 전통의 방식대로 계속 음식을 만들어 오고 있다.
④ 옛날의 잃어버린 맛을 찾기 위해 지금도 노력하고 있다.

40. 들은 내용과 일치하는 것을 고르십시오.

① 좋은 재료를 사용하는 것이 손님들과의 약속이다.
② 요즘의 방식으로 바꾸면 음식의 맛이 변할 수 있다.
③ 50년 만에 새롭게 문은 열어 손님이 찾아오고 있다.
④ 이 여자는 몸이 불편하지만 계속 음식을 만들고 있다.

※ [41~42] 다음을 듣고 물음에 답하십시오. (각 2점)

41. 들은 내용과 일치하는 것을 고르십시오.

① 살다 보면 누구나 실수를 할 수 있다.
② 실수인 줄 알고 있으면 고치지 않아도 된다.
③ 먼저 다가가면 상대방에게 행복을 줄 수 있다.
④ 사소한 일이 쌓이면 화가 풀리는 데 시간이 걸린다.

42. 남자의 중심 생각으로 맞는 것을 고르십시오.

① 실수를 한다는 것은 부끄러운 일이다.
② 다른 사람과의 관계를 중요하게 생각해야 한다.
③ 내가 잘못을 하지 않았으면 참고 기다려야 한다.
④ 세상을 살아가면서 실수를 인정하고 사과를 하는 것이 중요하다.

※ [43~44] 다음을 듣고 물음에 답하십시오. (각 2점)

43. 연어의 회귀율이 낮아지는 이유로 맞는 것을 고르십시오.

① 부화장에서 부화하는 경우가 많아져서
② 고향의 물 냄새를 잘 기억하지 못해서
③ 바다에서 일생을 마치기도 하기 때문에
④ 여러 가지 이유로 강으로 이동하기 힘들어져서

44. 이 이야기의 중심 내용으로 맞는 것을 고르십시오.

① 연어의 회귀본능을 더 정확하게 밝혀야 한다.
② 연어의 개체 수 감소로 부화장을 더 만들어야 한다.
③ 연어의 일생을 통해 우리의 모습을 빗대어 살펴볼 수 있다.
④ 연어의 회귀모습을 앞으로도 계속 볼 수 있도록 환경을 잘 보호해야 한다.

※ [45~46] 다음을 듣고 물음에 답하십시오. (각 2점)

45. 들은 내용과 일치하는 것을 고르십시오.

① 규모가 작으면 작을수록 성공할 확률이 높다.
② 인테리어는 가능하면 화려한 것으로 하는 것이 좋다.
③ 회사를 그만두고 가게를 하려고 하는 사람들이 많아지고 있다.
④ 창업을 할 때 임대료는 부담이 있지만 사람이 많은 곳으르 해야 한다.

46. 남자가 말하는 방식으로 가장 알맞은 것을 고르십시오.

① 현재 경제 상황을 분석하고 분류하고 있다.
② 여러 가지 예를 들며 청중들을 설득하고 있다.
③ 구체적 사실을 토대로 본인이 하고 싶은 주장을 하고 있다.
④ 소자본 창업을 할 때 필요한 여러 가지 내용을 알려주고 있다.

※ [47~48] 다음을 듣고 물음에 답하십시오. (각 2점)

47. 들은 내용과 일치하는 것을 고르십시오.

① 아이들이 처음부터 입양 사실을 알고 자랐다.
② 남편은 처음에 공개입양에 대해 낯설어 했다.
③ 이 부부는 아이가 없어 2명의 아이를 입양했다.
④ 지금도 아이들과 봉사활동을 하러 다니고 있다.

48. 여자의 태도로 가장 알맞은 것을 고르십시오.

① 입양 후 아이들의 교육에 걱정을 하고 있다.
② 공개입양에 대해 소신 있는 의견을 말하고 있다.
③ 사회적으로 입양아동들이 보호되기를 바라고 있다.
④ 공개입양의 문제점과 앞으로의 방향을 제시하고 있다.

※ [49~50] 다음을 듣고 물음에 답하십시오. (각 2점)

49. 들은 내용과 일치하는 것을 고르십시오.

① 성적이 높은 대학생들은 취업 기회가 많다.

② 나이든 부모들이 앞으로 자식들에게 의존해야 한다.

③ 청년층의 심각한 취업난이 지금의 캥거루족을 만들었다.

④ 젊은이들이 일자리를 찾으면 캥거루족의 연령이 올라갈 것이다.

50. 남자의 태도로 가장 알맞은 것을 고르십시오.

① 요즘 젊은이들의 태도에 대해 비판하고 있다.

② 앞으로의 새로운 모습에 긍정적 변화를 기대하고 있다.

③ 부모세대의 노후 준비의 필요성을 강하게 강조하고 있다.

④ 요즘 사회적 문제에 대해 우려의 목소리를 나타내고 있다.

쓰기 (51번~54번)

※ [51~52] 다음을 읽고 ㉠와 ㉡에 들어갈 말을 한 문장으로 쓰십시오. (각 10점)

51.

새 메일

받는사람	김한국 교수
제목	김한국 교수님께

안녕하세요? 호앙입니다.
제가 지난 시간에 결석을 해서 과제가 무엇인지 모릅니다.
(㉠) 가르쳐 주시면 감사하겠습니다.
과제 제출은 언제까지인가요?
다음 수업시간 전까지 (㉡)?
답장 보내주시면 감사하겠습니다.

호앙 드림

52.

인생은 정답이 없는 여행과 같다. 많은 사람들이 각자의 자리에서 열심히 살아가고 있지만 당장 내일 (㉠). 좋은 일이 있을지 나쁜 일이 있을지도 모르며, 누구를 만날지도 모른다. 또한 많은 사람들이 인생에 대해 고민한다. 고민을 하고 방법을 찾아 실천을 하는 사람도 있지만 고민만 하는 사람들은 (㉡). 이 책이 여러분의 고민을 풀 수 있는 방법을 깨닫게 해 줄 것이다.

53. 다음 표를 참고하여 '부모의 재산과 자녀의 사회적 지위의 연관성'에 대한 글을 200~300자로 쓰시오. 단, 글의 제목을 쓰지 마시오. (30점)

60~70년대 산업화 / 80~90년대 민주화

- 부모의 직업, 재산이 대물림 되지 않음.
- 부모가 고학력 → 자식이 고학력 54%

2000년대 정보화

- 부모의 직업, 재산이 대물림 됨.
- 부모가 고학력 → 자식이 고학력 89%

54. 다음을 주제로 하여 자신의 생각을 600~700자로 글을 쓰십시오. (50점)

외국에서는 기부입학이 보편화되어 있습니다. 하지만 아직 한국 사회에서는 돈을 주고 학교를 간다는 생각은 한국 사람들의 정서에 맞지 않습니다. 학교 교육만큼은 누구나 똑같이 기회가 주어져야 하고 개인의 노력에 의해 입학해야 한다는 생각을 가지고 있습니다. 기부입학에 대한 자신의 생각을 쓰십시오.

- 기부입학의 좋은 영향으로는 어떤 것들이 있습니까?
- 기부입학으로 인한 부작용은 어떤 것들이 있습니까?
- 기부입학이 어떤 방향으로 나아가는 것이 바람직합니까?

* 원고지 쓰기의 예

한국 사람은 '우리'라는 말을 자주 쓴다.
이는 가족주의에서 비롯되었다.

한국어능력시험 Real TOPIK Ⅱ

Chapter 02

Real TOPIK Ⅱ 2회

읽기 (1번~50번)

읽기 (1번 – 50번)

※ [1~2] (   )에 들어갈 가장 알맞은 것을 고르십시오. (각2점)

01. 서로 가깝고 (   ) 예의를 지켜야 한다.

① 친하며　　② 친하고도
③ 친해야　　④ 친할수록

02. 추운데 늦게까지 (   ) 몸살이 나고 말았다.

① 운동하느니　　② 운동하더니
③ 운동하고자　　④ 운동하더라도

※ [3~4] 다음 밑줄 친 부분과 의미가 비슷한 것을 고르십시오. (각2점)

03. 이렇게 매일 밤늦게 <u>먹다가는</u> 뚱뚱해지니까 조심해.

① 먹다 보면　　② 먹는데다가
③ 먹은 채로　　④ 먹는 대신에

04. 민수 씨가 오늘부터 담배를 <u>끊었나 봐요.</u>

① 끊는 척해요　　② 끊는 편이에요.
③ 끊은 모양이에요.　　④ 끊을 리가 없어요.

※ [5~8] 다음은 무엇에 대한 글인지 고르십시오. (각 2점)

05.

아름다운 꿈의 나라로 여러분을 초대합니다.
하루 종일 피곤한 당신이 누워서 쉴 수 있는 곳. 당신의 편안한 내일을 위하여

① 침대 ② 책상 ③ 의자 ④ 식탁

06.

현재의 자신의 모습이 마음에 안 드신다고요? 변화를 원하십니까?
지금 바로 도전하십시오!

① 학원 ② 은행 ③ 미용실 ④ 경찰서

07.

"빨리 빨리 No, 내가 먼저 No"
음주, 과속은 당신의 생명을 빼앗아갑니다.

① 안전 운전 ② 여행 안내 ③ 건강 관리 ④ 이웃 사랑

08.

- 세안 후 적당량을 덜어 얼굴 전체에 발라 줍니다.
- 제품을 바른 후 5분 동안 가볍게 두드려 줍니다.

① 상품 설명 ② 사용 방법 ③ 주의 사항 ④ 제품 효과

※ [9~12] 다음 글 또는 도표의 내용과 같은 것을 고르십시오. (각 2점)

09.

서울 광장 스케이트장

서울 시청 앞 서울 광장에 스케이트장이 개장을 하였습니다.
가족, 친구, 연인들이 함께 오셔서 재미있는 시간을 보내시기 바랍니다.

- 운영 기간: 2021. 12. 17(금)~2022. 02. 11(금)
- 운영 시간: 평일 - 10:00~21:30/ 주말 - 10:00~23:00
- 장소: 서울 광장 북측
- 이용 요금: 1,000원 (1회 1시간, 스케이트화 대여료 포함)

※ 입장 시 장갑과 안전모를 꼭 착용하시기 바랍니다. (미착용 시 입장불가)
※ 6세 이하 어린이는 안전을 위해 입장할 수 없습니다. (7세부터 부모님과 함께 입장 가능)

① 평일과 주말에 운영 시간이 다르다.
② 천 원을 내면 하루 종일 탈 수 있다.
③ 6세 어린이는 어머니와 꼭 같이 와야 한다.
④ 스케이트화를 빌리려면 따로 돈을 내야 한다.

10.

학생·학부모 희망 직업

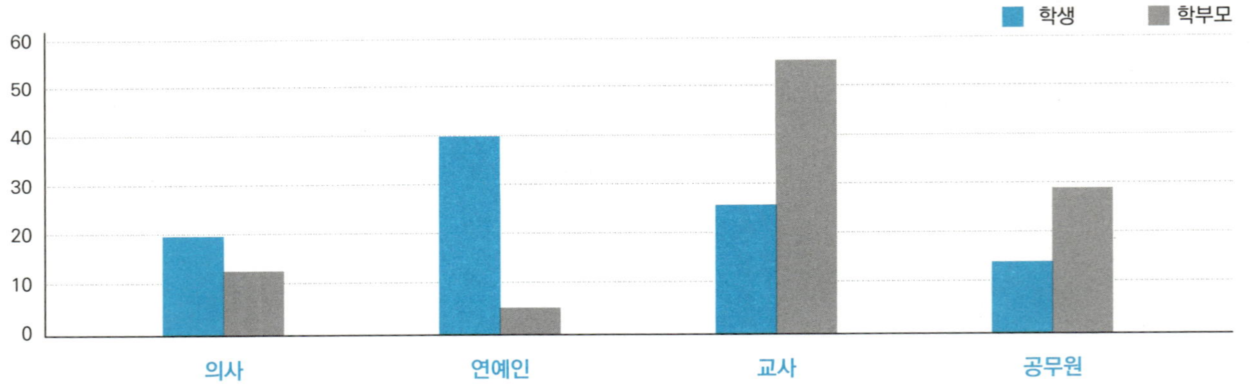

① 학생은 교사보다 의사가 되기를 희망한다.
② 공무원이 되고 싶다는 학생이 가장 적었다.
③ 학부모는 자녀가 연예인이 되는 것을 아주 좋아한다.
④ 학생과 학부모 모두 첫 번째 희망 직업으로 교사를 선택했다.

11. 수원시 행궁동이 오는 28일부터 매주 토요일 오전 11시부터 오후 5시까지 자동차 없는 거리로 바뀐다. 행궁동 주변 3~4개 곳을 연계하여 자동차 없는 거리로 지정하고 다양한 거리 행사를 개최한다. 벼룩시장, 음악공연, 자전거투어, 전통 음식 체험 등 주민들과 함께 즐길 수 있는 각종 문화 행사를 준비하고 있다. 관광객 유치는 물론 시민들의 재능을 공유하고 이웃과 함께 소통할 수 있는 새로운 거리문화를 만들고자 한다.

① 자동차 없는 거리는 주말에만 한다.
② 수원시 전체 거리에 자동차가 다닐 수 없다.
③ 먹고, 보고, 듣고, 즐길 수 있는 다양한 행사가 있다.
④ 이미 관광명소로 자리 잡아서 많은 외국인들이 찾고 있다.

12. 목욕이 건강에 좋다는 것은 누구나 알고 있는 사실이다. 그런데 목욕도 조심해야 할 부분들이 있다.

어떤 사람들은 식사를 하자마자 바로 목욕을 하러 간다. 하지만 이런 행동은 방금 섭취한 음식물이 충분히 소화되지 못할 뿐만 아니라 심장에도 충분한 휴식을 주지 못한다. 게다가 욕실은 공기가 통하지 않고 산소가 부족하여 심장병이 있는 사람에게는 위험하다. 또 겨울철 날씨가 추울 때 연세가 많으신 분들은 욕실을 따뜻하게 해야 하며, 물의 온도는 적당히 하도록 하고 목욕시간도 너무 길지 않도록 해야 한다.

① 목욕은 아무 때나 해도 괜찮다.
② 나이가 많은 사람들은 목욕을 하면 안 된다.
③ 심장이 약한 사람은 욕실을 따뜻하게 해야 한다.
④ 밥을 먹고 시간이 지난 후에 목욕을 하는 것이 좋다.

※ [13~15] 다음을 순서대로 맞게 나열한 것을 고르십시오. (각 2점)

13.

(가) 이런 게 한국 사람들이 가지고 있는 '정'인 것 같다.
(나) 그러면 그 사람들은 당연히 사람들을 초대하여 기쁨을 나눈다.
(다) 옛말에 슬픔은 나누면 반이 되고, 기쁨은 나누면 두 배가 된다는 말이 있다.
(라) 그래서 한국 사람들은 좋은 일이 생긴 사람에게 축하 인사와 함께 한턱내라고 한다.

① (나) - (다) - (가) - (라)
② (나) - (라) - (다) - (가)
③ (다) - (라) - (나) - (가)
④ (다) - (가) - (라) - (나)

14.

(가) 서울 시내에는 '사주 카페'라는 곳이 있다.
(나) 이런 곳에 젊은 사람들이 많이 와서 깜짝 놀랐다.
(다) 여기에서는 커피나 차를 마시며 점을 보는 것이다.
(라) 또한 이곳에서는 관상, 손금, 궁합 등도 함께 볼 수 있다.

① (나) - (라) - (다) - (가)
② (나) - (다) - (라) - (가)
③ (가) - (라) - (다) - (나)
④ (가) - (다) - (라) - (나)

15.

(가) 자신이 원하는 삶을 위해 하나씩 행동을 바꿔가면 된다.
(나) 현재 자신에게 주어진 삶을 잘 살아가고 있는가?
(다) 그러면 결국 행복을 찾을 수 있고 만족한 삶을 살 수 있다.
(라) 그 질문에 아니라고 하더라도 이제부터 인생을 만들면 된다.

① (나) - (가) - (다) - (라)
② (나) - (라) - (가) - (다)
③ (라) - (가) - (다) - (나)
④ (라) - (나) - (다) - (가)

※ [16~18] 다음을 읽고 (　　　　)에 들어갈 내용으로 가장 알맞은 것을 고르십시오. (각 2점)

16.

사람들은 말 못하는 동물들이 무엇을 요구하는지 정확히 알기 힘들다. 특히 고양이는 성격이 예민해서 주변 환경에 변화가 생기면 새 이불에 소변을 보거나 책상 위의 물건을 일부러 떨어뜨리는 등 주인을 골치 아프게 한다. 이처럼 평소에 하지 않는 못된 행동을 하는 경우가 있는데, 최근 연구 결과에 따르면 고양이가 이런 행동을 하는 원인은 불안감과 스트레스 때문이라고 설명하고 있다. 그러므로 이를 해결하기 위해서 (　　　　) 제안했다.

① 주변 환경을 새롭게 바꿔야 한다고
② 못된 행동을 못하도록 잘 살펴보라고
③ 주변이 안전하다고 느낄 수 있게 해야 한다고
④ 필요한 것이 무엇인지 고양이와 얘기를 많이 하라고

17.

얼마 전 한 연예인 커플이 소박한 결혼식을 올려 화제를 모았다. 그동안 많은 사람들이 과다한 혼수, 화려한 결혼식, 부모님의 지나친 간섭 등 결혼 문화에 문제가 있다는 것을 인식하고 있었지만 쉽게 바꿀 수 없는 부분들이 많이 있었다. 하지만 최근 젊은 세대들 사이에서는 비싼 결혼식에 대한 인식이 점차 바뀌고 있다. 다른 사람들에게 보여주기 위한 결혼보다는 (　　　　) 우선적으로 생각하게 되었다.

평생에 한번뿐인 결혼식을 남이 아닌 결혼하는 당사자들이 행복한 결혼식으로 만들어 가고 있는 것이다.

① 문제를 해결해야겠다고
② 한국의 전통 결혼 문화를
③ 부모님의 의견을 존중하여
④ 본인들이 만족하는 결혼식을

18.

최근 한 기업의 조사 결과 첫인상을 결정짓는 가장 중요한 요인은 '호감이 가는 외모' 보다는 '얼굴 표정'이 1위를 했다. 그만큼 밝고 건강한 미소를 갖고 있는 것이 중요한 평가 기준이 되었다. 좋은 이미지와 인상은 각자가 (   ) 따라서 좌우될 수 있다. 항상 긍정적인 마음과 즐거운 마음을 가지고, 행복을 느낀다면 불편한 인상이 매력적인 인상으로 변화될 수 있을 것이다. 누구든지 이런 매력적인 인상을 가지고 싶다면 지금부터 항상 밝게 웃는 습관을 가져보는 건 어떨까?

① 누구를 만나느냐에
② 어떤 일을 하고 있느냐에
③ 어떤 마음을 가지고 노력하느냐에
④ 얼마나 얼굴을 열심히 가꾸느냐에

※ [19~20] 다음을 읽고 물음에 답하십시오.

음식을 맛있게 요리해서 즐겁게 먹는 것만큼 깨끗하게 설거지를 하는 것도 중요합니다. 그리고 깨끗하게 설거지를 하는 것만큼이나 안전하게 닦는 것도 중요하겠지요? 최근에는 화학성분을 줄이거나 천연 재료로 만든 천연세제들을 쉽게 볼 수 있습니다. 밀가루, 식초, 물을 넣고 섞어주기만 하면 쉽게 천연 세제를 만들 수 있습니다. 이 천연 세제는 일반 세제에 비해 세제 찌꺼기가 남지 않아 아이들 그릇에도 안심하고 사용할 수 있습니다. (   ) 음식 냄새가 배어 있는 밀폐용기 냄새제거에도 그만이랍니다.

19. (   )에 들어갈 알맞은 것을 고르십시오.

① 반면 ② 그래서 ③ 오히려 ④ 그리고

20. 이 글의 내용과 같은 것을 고르십시오.

① 음식에 화학성분을 줄이는 것이 좋다.
② 천연 세제보다 화학 세제가 더 깨끗하다.
③ 천연 세제로 안전하게 설거지를 할 수 있다.
④ 밀가루로 음식을 만들면 맛있게 먹을 수 있다.

※ [21~22] 다음을 읽고 물음에 답하십시오. (각 2점)

종합민원실에서 운영 중인 '양심우산 대여 코너'가 시민들의 호응을 얻고 있다. '양심우산'이라고 찍힌 우산 100개를 민원창구에 비치해 양심우산 대여 코너를 운영하고 있다. 양심우산은 갑작스럽게 비가 내려 미처 우산을 준비하지 못한 시민을 대상으로 민원실에 비치된 우산을 무료로 대여하는 방식으로 이뤄지고 있다. 이용은 자율 대여와 자율 반납의 방식으로 우산 대여 신청서를 기재하고 대여 후 10일 이내에 반납하면 된다. 처음 이 제도를 시행할 때만 해도 출근길에 갑자기 내린 비로 많은 시민들이 양심우산을 빌려 가면 종합민원실 직원들의 우려에 찬 목소리들도 있었지만 다음날 아침에 보면 (   ) 전날 빌려간 우산들이 다시 민원실 '양심우산 대여 코너'에 꽂혀 있었다.

21. (   )에 들어갈 알맞은 것을 고르십시오.

① 진땀을 뺄 정도로
② 하늘을 찌를 정도로
③ 눈을 의심할 정도로
④ 눈살을 찌푸릴 정도로

22. 이 글의 중심 생각을 고르십시오.

① 미리 준비하는 정신이 필요하다.
② 시민들이 자발적 태도가 훌륭하다.
③ 시민들을 위해 할 수 있는 일이 많다.
④ 무엇보다 행동으로 보여주는 것이 좋다.

※ [23~24] 다음을 읽고 물음에 답하십시오. (각 2점)

봄이 오면 무겁고 두꺼운 옷을 벗어 버리는 것만 해도 몸과 마음이 가벼워진다. 봄이 올 때면 젊음이 다시 오는 것 같다. 나는 음악을 들을 때, 그림이나 조각을 볼 때 잃어버린 젊음을 안개 속에 잠깐 만나는 일이 있다. 젊음은 언제나 한결같이 아름답다. 누구나 잃어버린 젊음에 미련을 갖기 마련이다. 아무리 높은 지혜라 할지라도 젊음만 못하다. 인생이 40년이라며 너무 짧은 것이 아닌가? 그러나 생각을 다시 하면 그리 짧은 편도 아니다.

개나리 진달래, 복숭아꽃 피는 봄, 이러한 봄을 40번이나 누린다는 것은 적지 않은 행복이다. 더구나 봄이 40이 넘은 사람에게도 온다는 것은 참으로 다행한 것이다. 나의 녹이 슨 심장도 뛰는 것을 느끼게 된다. 물건을 못 사는 사람에게는 멋진 옷을 보는 것만으로도 기쁨을 주듯이 나는 비록 청춘을 잃어버렸다 하여도 금은보화를 부러워하지는 않는다. <u>아아, 봄이 오고 있다. 순간마다 가까워 오고 있다.</u>

23. 밑줄 친 부분에 나타난 나의 심정으로 알맞은 것을 고르십시오.

① 두렵다
② 기대한다
③ 안타깝다
④ 혼란스럽다

24. 이 글의 내용과 같은 것을 고르십시오.

① 봄이 되면 항상 음악을 듣는다.
② 나는 지금 마흔 살 정도 되었다.
③ 나이가 들면서 멋진 옷을 사고 싶다.
④ 젊었을 때 봄이 오는 것을 좋아했다.

※ [25~27] 다음은 신문 기사의 제목입니다. 가장 잘 설명한 것을 고르십시오. (각 2점)

25.

연휴 마지막 고속도로 정체 극심. 오후 4~6시 최고조

① 연휴동안 고속도로가 오후 4~6시 사이에 계속 막혔다.
② 연휴동안 고속도로가 안 막히다가 마지막 날 제일 많이 막힌다.
③ 연휴 마지막 날 고속도로 사고로 오후 4시~6시에 많이 막힐 것이다.
④ 연휴 마지막 날 고속도로가 많이 막히고 있고 오후 4~6시 제일 심하게 정체된다.

26.

발길 '뚝' 끊긴 스키장… 청년 빈곤으로 스키장 이용객 줄어

① 젊은이들이 돈이 없어 스키장을 안 가다 보니 스키장 이용객도 줄었다.
② 요즘 경제 상황이 좋지 않아서 스키장을 이용하는 손님들이 거의 없다.
③ 손님이 없는 스키장에 젊은이들이 갑자기 스키장을 많이 이용하고 있다.
④ 스키장에서 다리를 다친 청소년들이 올 겨울 스키장 이용을 안 하고 있다.

27.

"가상현실 게임 어디까지 왔나…" 대중화 시기상조

① 가상현실 게임의 개발이 너무 느리게 진행되고 있다.
② 가상현실 게임이 하루라도 빨리 대중화가 되었으면 좋겠다.
③ 가상현실 게임이 실현되기 위해서는 많은 대중들의 노력이 필요하다.
④ 가상현실 게임이 현실로 다가오고는 있으나 아직 대중화하기에는 이른 점이 있다.

※ [28~31] 다음을 읽고 (　　　　)에 들어갈 내용으로 가장 알맞은 것을 고르십시오. (각 2점)

28.

떡국은 새해 첫날 온 가족이 둘러앉아 즐겨 먹던 대표적인 한국 음식입니다. 길고 하얀 가래떡은 무병장수를 뜻하는데, 이렇게 동그랗게 썰어놓은 떡은 엽전과 비슷하다고 해서 그해 풍년과 풍요를 빌었던 조상들의 마음이 담겨 있는 음식입니다. 특히 떡국은 각 지역마다 다른 특색을 지닌 채 전해집니다. 기후나 구하기 쉬운 재료가 지역마다 다르기 때문에, (　　　　) 다양한 맛의 떡국을 즐겼다고 합니다. 지역에 따라 재료와 맛, 만드는 방법은 다르지만 우리 조상의 지혜와 전통은 떡국 한 그릇에 고스란히 담겨 있습니다.

① 지역의 날씨에 따라
② 각자의 입맛에 맞게
③ 각 지역의 특색을 살려
④ 그 시대의 재료에 따라

29.

최근 식당 같은 공공장소를 비롯하여, 실내외 어디에서든 어린 자녀들이 스마트 폰을 사용하는 것을 어렵지 않게 볼 수 있다. 칭얼거리며 우는 아이들을 조용히 시키기 위해 어른들이 무심코 건네는 스마트 폰은 이미 어린 자녀들의 생활 속 깊숙이 자리 잡은 지 오래다. 하지만 이를 통해 좋지 않은 습관과 자세로 아이들의 (　　　　) 주의가 필요하다. 일단 거북목증후군이 어린 자녀들에게 발병하면 목통증, 피로감, 두통과 어지럼증은 물론, 굽은 자세와 변형된 경추로 인해 몸의 균형을 무너뜨려 올바른 성장을 방해한다. 또한 성인보다 더욱 빠른 체형변화를 가져올 수도 있다.

① 학습 능력을 방해해
② 척추 건강을 해칠 수 있어
③ 예절 교육에 나쁜 영향을 줘서
④ 시력 저하의 원인이 될 수 있어

30.

첫째, 둘째, 막내 즉, 태어난 순서가 직업 선택에 영향을 미칠까? 과학자들의 논문 통계자료에 따르면 첫째와 외동은 동생보다 의사나 변호사가 될 확률이 높다. 반면 동생은 예술가가 될 가능성이 높다. 물론 통계학적인 자료를 기준으로 분석한 것일 뿐, 반드시 첫째는 의사, 둘째는 화가가 된다는 것은 아니다. 하지만 일반적으로 부모는 첫째 아이를 (   ), 이로 인해 아이는 활동적이고 모험가적인 기질을 가지기보다 조용히 앉아 머리 쓰는 일에 관심을 갖는다. 반면 동생은 부모의 간섭이 점차 줄어들면서 좀 더 활동적이고 자유로운 직업을 선택할 가능성이 높기 때문이다.

① 항상 집에만 있게 하는데
② 의사로 키우고 싶어하는데
③ 놀지 못하게 하기도 하는데
④ 과잉보호하는 경향이 있는데

31.

최근 한 실험에서 (   ) 몸무게 감소에 도움이 된다는 사실을 입증했다. 거울이 없는 방에서 음식을 먹은 실험자보다 거울이 있는 방에서 음식을 먹은 실험자의 초콜릿 케이크에 대한 맛의 점수가 더 낮은 것으로 나타났다. 반면 과일 샐러드에 대한 맛 평가 점수는 거울의 여부와 상관없이 같았다. 이와 같은 결과가 나오게 된 원인으로 건강에 좋지 않거나 살이 찔 수 있는 음식을 먹으면서 거울 속 자신의 모습을 보면 음식의 풍미가 떨어지고 이 때문에 음식을 덜 먹게 되는 효과가 나타나는 것으로 분석했다. 하지만 건강한 음식을 먹을 때에는 거울이 음식의 맛이나 기분에 영향을 주지 않는 것으로 분석됐다.

① 과일 샐러드를 먹는 것이
② 건강한 음식을 먹는 것이
③ 음식 맛을 떨어뜨리는 것이
④ 거울 앞에서 식사를 하는 것이

※ [32~34] 다음을 읽고 내용이 같은 것을 고르십시오. (각 2점)

32.

색깔은 또 하나의 언어라고 볼 수 있다. 우리가 일상생활을 살면서 어떤 색깔의 옷을 입고, 어떤 색깔로 머리를 염색하느냐에 따라 우리의 기분과 감정은 달라진다. 또한 우리는 특정한 색을 통해 자신을 표현하는 도구로 사용하기도 한다. 세상에 존재하는 수많은 색에는 그 색이 가지고 있는 의미가 다를 뿐더러 색마다 나타낼 수 있는 대표적인 단어들이 있다. 가령 흰색은 순수, 깨끗함으로 대표되는 색이다.

색깔의 종류와 상관없이 진함과 연함에 있어서도 느낌의 차이를 알 수가 있다. 파스텔 톤의 색은 마음을 진정시켜 줘서 심리적인 안정감을 찾을 수 있다. 이처럼 색으로도 마음을 치유할 수 있으니 본인에게 결핍돼 있거나 필요한 것이 무엇인지 진단하고, 그에 맞는 색을 활용해 주변을 바꿔나가는 것이 이른바 '컬러 테라피'의 시작이라고 할 수 있다.

① 색으로 마음의 병을 치료할 수 있다.
② 색깔과 언어는 서로 잘 연결되어 있다.
③ 자신에게 없는 색깔로 자신을 표현한다.
④ 한 색깔에는 여러 가지 의미가 들어있다.

33.

수달은 겨울잠을 자지 않는다. 추운 겨울에도 활발하게 움직이며 먹이를 잡으러 다닌다. 아주 추운 날 혹은 물이 얼면 어떻게 먹이를 잡을까? 우리는 수달의 지혜를 겨우살이 과정에서 엿볼 수 있다. 수달은 수중 생활에 적합한 몸으로 진화했다. 유선형 몸매에 네 발에는 물갈퀴가 있다. 특히 후각과 청각이 발달되어 있어 어두운 물속에서도 물고기를 잡을 수 있다. 수달의 몸을 감싸고 있는 모피는 거친 바깥 털과 짧고 부드러운 속 털의 이중구조로 돼 있어서 방수 효과와 보온 기능이 뛰어나다. 이 털로 인해 차디찬 수온에서도 체온을 유지할 수 있다. 이런 몸으로 최대 4분가량 물속에 잠수해 물고기를 사냥한다. 수달의 털은 방수 기능이 우수하지만 물속에 오래 있으면 방수 효과가 떨어질 수밖에 없다. 이 때문에 물속에 있는 먹이를 먹은 뒤 물 밖으로 나와 장시간 털을 말리는 모습을 볼 수 있다.

① 수달은 물속 생활보다 육지의 생활에 더 적합하다.
② 수달은 날씨가 춥거나 물이 꽁꽁 얼면 겨울잠을 잔다.
③ 수달의 털은 방수 기능이 뛰어나서 오랫동안 잠수할 수 있다.
④ 수달은 귀가 밝고 냄새를 잘 맡기 때문에 어두워도 물고기를 잡을 수 있다.

34.

거듭되는 경제 악화 속에 휴대전화 비용은 큰 부담인데, 최근 들어 일반 통신사보다 최대 70%까지 요금을 아낄 수 있는 '알뜰폰'이 뜨고 있다. 공짜로 한 달에 50분 동안 통화를 할 수 있는 '제로 요금제'가 최고 인기 상품이며, 저렴한 요금제뿐만 아니라, 출고가 자체가 낮은 저가형 휴대전화도 인기를 끌고 있다. 과거에는 경제적 활동이 없는 노인층이 주 고객이었지만, 올해 들어 젊은층 가입자가 전체 가입자의 절반을 넘었다. 8~90만 원대의 고가폰과 비교해도 인터넷 속도와 카메라 화질 등 성능이 떨어지지 않는다. 짙어지는 불황 속에 휴대전화비의 거품을 빼고 실속 있게 휴대전화를 사용하려는 사람들이 늘어나면서 '알뜰폰' 열풍은 계속될 전망이다.

① 과거에 알뜰폰은 노년층에만 판매되었다.
② 요즘은 젊은 사람들도 알뜰폰을 사용한다.
③ 고가폰과 비교하면 저가폰의 성능이 떨어진다.
④ 경제가 안 좋아져서 휴대전화를 사용하지 않는다.

※ [35~38] 다음 글의 주제로 가장 알맞은 것을 고르십시오. (각 2점)

35.

요즘 텔레비전을 틀면 요리와 관련된 프로그램을 자주 볼 수 있다. 요리하는 방송, '쿡(cook)방'과 요리하는 남자가 많은 사람들의 관심을 받고 있다. 요리하는 방송, 요리하는 남자가 왜 한국에서 눈길을 끄는 것일까? 과거 성 역할이 엄격하게 구분된 한국의 유교 사회에서 요리 공간으로 상징되는 부엌이야말로 엄격한 성 역할이 나뉘어졌던 공간이었다. 이 때문에 요즘 남자들이 직접 요리를 한다는 모습이 새로운 현상으로 부각된 것이다. 결혼 후 가사 활동을 여성이 전담하는 분위기의 한국 사회에서 '요리하는 남자'의 등장은 신선한 충격이라는 지적도 있다. 변함없는 대세인 쿡방과 요리하는 남자! 과연 지금의 이 열기가 앞으로 한국 사회의 문화를 변화시킬 수 있을지 귀추가 주목된다.

① 유교 사회에서 현대 사회로의 변화가 크다.
② 쿡방은 한국뿐 아니라 전 세계적으로 열기가 뜨겁다.
③ 남자가 직접 요리를 하고 나눠 먹는 모습은 여전히 이상하다.
④ 요리하는 방송이 인기를 얻으면서 남자도 요리하는 시대가 되었다.

36.

요즘 한 방송에서 출연자가 복면을 쓰고 가창력을 겨루는 프로그램이 화제가 되고 있다. 그 복면 뒤에는 항상 우리가 생각하지 못한 예상 밖의 인물이 숨겨져 있다. 복면으로 출연자의 얼굴을 가리면서 그들의 외모나 명성을 감춘 것은 물론 많은 사람들의 선입견도 막아줬다. 현재 사회에 만연해 있는 선입견, 불공정함에 대한 불만을 이 프로그램이 잘 꼬집어 보여 주고 있는 것이다. 한국 사회는 성, 연령, 출신지, 출신학교, 외모 등에 대한 편견과 차별이 강한 편이며 개인의 능력보다 학벌, 스펙, 배경이 더 크게 작용하고 있다. 이런 세태에 많은 대중들이 반감을 갖고 있음을 보여주는 것이라고 해석할 수 있겠다. 또한 이 프로그램의 인기는 편견 없는 세상을 바라는 대중의 열망을 반영하고 있다는 분석도 나오고 있다.

① 한국 사회의 불공정함에 대한 해답을 제시해 주고 있다.
② 얼굴을 가리면 출연자들이 누구인지 더 궁금하게 만든다.
③ 선입견이나 편견 없는 세상을 바라는 사람들이 많아지고 있다.
④ 가창력으로 승부를 하게 되면서 많은 가수들이 주목을 받고 있다.

37.

살면서 한 번도 후회한 적이 없는 사람은 없다. 자책하고 생각하느라 잠을 설친 날을 꼽으면 열 손가락이 모자를 정도다. 지나간 시간에 사로잡혀 걱정하고 미련을 갖다보면 지금 이 순간이 무의미해진다. 과거에 얽매여 우물쭈물하느라 시간낭비하지 말고 후회와 아쉬움을 현재의 행복을 위한 디딤돌로 삼으면 삶은 달라질 수 있다. 미래를 위한 걱정도 잠시 접어두는 것이 좋다. 지금 걱정한다고 안 될 일이 되는 것도 아니고 걱정에만 빠져 있으면 다른 것에 마음 쓸 여유가 없어진다. 행복은 멀리서 찾을 필요도 없고 특별한 방법도 없다. 매 순간을 심각하고 진지하게 사는 것만이 꼭 좋은 것은 아니니까 가끔은 조금씩 털어내며 살아가는 것이 인생을 더 유쾌하게 사는 방법이다.

① 미래를 걱정하며 심각하게 고민해야 한다.
② 과거에 잡혀 살다보면 현재 달라진 삶을 살 수 있다.
③ 마음을 편안하게 가지면 불면증 없이 잠을 잘 잘 수 있다.
④ 후회나 걱정을 하지 말고 현재를 즐기면서 사는 것이 행복하다.

38.

식초에도 2배 식초라는 게 있는데, 일반 식초보다 두 배나 강한 맛을 낸다. 속도에도 2배 속도, 4배 속도가 있어서 음악, 영화 등을 빠른 속도로 감상할 수 있다. 그런데 영화를 그렇게 빠르게 봐서 뭘 알 수 있을지 참 궁금하다. 더 강하고 더 빠른 속도는 순수한 미각과 감성을 무디게 한다. 현대 사람들은 속도에 대한 강박증을 멈출 줄 모른다. 가면 갈수록 더 빠른 것을 요구하기 때문이다. 어느새 우리 삶을 지배하고 있는 속도 중독증에서 빠져 나와 진정 가치 있는 것을 놓치고 있는 건 아닌지 둘러 볼 필요가 있을 것이다. 느리게 간다고 결코 불안해 할 필요가 없다. 느리게 가는 만큼 더 많은 것을 보고 느낄 수 있다. 지금 바로 마음의 속도를 조금 늦춰보는 건 어떨까?

① 2배라는 것은 행복도 2배로 만들어 주는 것이다.
② 느리게 가다보면 다른 사람들보다 늦어져서 불안하다.
③ 속도 강박증으로 가면 갈수록 더 빠른 것을 요구하고 있다.
④ 빠른 속도 속에서 진정 잃어버리는 건 없는지 살펴봐야 한다.

※ [39~41] 다음 글에서 〈보기〉의 문장이 들어가기에 가장 알맞은 곳을 고르십시오. (각 2점)

39.

연꽃은 색깔이 화려하거나 생김새가 특이하고 예쁜 꽃은 아니다. (㉠) 하지만 이런 은은하고 단순한 모습이 연꽃을 질리지 않고 오래도록 볼 수 있게 하는 것이 아닐까? (㉡) 이렇게 특별하게 뛰어나지도 않은 연꽃에는 신비한 비밀이 하나 숨겨져 있다. (㉢) 그건 바로 연꽃 씨에는 강인한 생명력이 있어서 3000년이 지나도 일정한 환경이 갖춰지면 발아가 가능하다고 한다. (㉣)

〈보기〉

몇 년 전, 함안에서 땅 속에 파묻혀 있던 700년 전 연꽃 씨가 싹을 틔운 것도 이 때문이다.

① ㉠ ② ㉡ ③ ㉢ ④ ㉣

40.

얼마 전 스스로 목숨을 끊은 한 영화배우가 오랫동안 우울증을 앓고 있었다는 사실이 알려져 충격을 더하고 있다. (㉠) 하지만 한 연구 결과에서 자기감정을 겉으로 드러내길 꺼리는 한국인의 특성이 우울증을 키우는 것으로 나타났다. (㉡) 또한 실제로 시급한 조치와 치료가 필요한데도 자신의 병을 감추기에만 급급한 사람들이 우울증의 치료를 더욱 어렵게 한다. (㉢) 이를 방지하기 위해 먼저 그런 사람들을 바라보는 우리의 따가운 시선들을 없애고, 우리 주변에 우울증 환자는 없는지 좀 더 세심하게 관심을 기울이려는 노력이 뒤따라야 할 것이다. (㉣)

〈보기〉

우울증이란 병은 발병 원인이 명확하지 않으나, 조기에 발견해 적극적으로 대응하면 80% 이상은 치료가 가능한 것으로 알려져 있다.

① ㉠ ② ㉡ ③ ㉢ ④ ㉣

41.

국립중앙박물관은 한국·중국·일본 세 나라의 대표적 산수화를 한자리에서 볼 수 있는 '산수화, 이상향을 꿈꾸다' 특별전을 개최한다. (㉠) 이번 특별전에서는 국내외 주요 박물관에서 소장하고 있는 산수화 109점이 전시된다. (㉡) 정선, 김홍도, 이인문, 장욱진 등 7세기 백제 시대 때부터 1980년대에 이르기까지 한국의 각 시대를 대표하는 화가들의 다양한 작품을 감상할 수 있다. (㉢) 그 외 전시작 가운데는 국내에 처음 전시되는 중국·일본 명작 42점도 포함되어 있다. (㉣) 국립중앙박물관은 관람객의 이해를 돕기 위해 주요 전시품에 대해 스마트 기기를 이용한 음성 가이드를 제공할 예정이다.

〈보기〉

특히 18세기 조선 화단에서 쌍벽을 이룬 이인문과 김홍도의 대작 산수화가 오랜만에 대중에게 공개될 예정이다.

① ㉠ ② ㉡ ③ ㉢ ④ ㉣

※ [42~43] 다음을 읽고 물음에 답하십시오. (각 2점)

지난여름의 일이다. 집안이 기울어 갈 곳이 없어진 어머니를 고향 이모님 댁에 모셔다 드릴 때의 일이다. 어머니는 차시간도 있고 하니까 간단히 끼니를 때우고 가자시며 고깃국을 먹자고 하셨다. 어머니는 한평생 중이염을 앓아 고기만 드시면 귀에서 고름이 나오곤 했다. 그런 어머니가 나를 위해 고깃국을 먹으러 가자고 하시는 마음을 읽자 어머니 이마의 주름살이 더 깊게 보였다. 설렁탕 집에 들어가 물수건으로 이마에 흐르는 땀을 닦으시면서 어머니께서 말씀하셨다. "더울 때일수록 고기를 먹어야 더위를 안 먹어. 고기를 먹어야 하는데... 고깃국물이라도 많이 먹어 둬라."

설렁탕이 나오고 대여섯 숟가락 국물을 떠먹고 있을 때였다. 어머니가 주인아저씨를 불렀다. 어머니는 설렁탕에 소금을 너무 많이 넣어 짜다고 하시며 국물을 더 달라고 했다. 주인아저씨는 흔쾌히 국물을 더 갖다 주었다. 어머니는 주인아저씨가 안 보고 있다고 생각하시고 얼른 내 그릇에 국물을 부어 주셨다.

<u>나는 주인아저씨를 흘금거리며 국물을 더 받았다.</u>

나는 국물을 그만 따르시라고 내 그릇으로 어머니 그릇을 툭 쳤다. 순간 그릇이 부딪치며 내는 소리가 왜 그렇게 서럽게 들리던지 나는 울컥 솟아 오르는 감정을 억제하려고 설렁탕에 넣은 밥과 깍두기를 마구 씹어댔다.

42. 밑줄 친 부분에 나타난 나의 심정으로 알맞은 것을 고르십시오.

① 창피하다 ② 실망하다
③ 고민하다 ④ 슬퍼하다

43. 이 글의 내용과 같은 것을 고르십시오.

① 어머니는 고깃국을 좋아하신다.
② 설렁탕을 먹다가 그릇이 부딪쳐서 깨졌다.
③ 나는 설렁탕에 소금을 많이 넣어서 국물이 짰다.
④ 집안이 가난하여 어머니는 이모님과 같이 살게 되었다.

※ [44~45] 다음을 읽고 물음에 답하십시오. (각 2점)

한국 근로자의 연간 근로시간은 꾸준히 감소하는 추세이지만 여전히 다른 나라의 평균 근무 시간보다 387시간이 더 길다. 하지만 요즘 대한민국의 일터에 새로운 바람이 불고 있다. 각 기업들은 직원들의 복지 신장을 위해 회사 문화를 바꿔 생산성을 향상시키고 신명나는 일자리로 만들고 있다. K기업은 야근을 금지하고 '초과 근무 제로' 제도를 운영하고 있다. 직원의 말에 따르면 야근 시간을 없앤 만큼 평소 근무 시간을 좀 더 효율적으로 이용하고 있다고 한다. 다른 기업에서도 1년에 한 번 2주 이상 휴가를 사용할 수 있는 '집중 휴가제', 일주일에 한 번은 평소 퇴근 시간보다 1시간 먼저 퇴근하는 '가정의 날' 등 이렇게 조금씩 바뀌고 있다. 이런 움직임에도 불구하고 대부분의 기업들은 (   ), 근로 문화의 변화는 일부 대기업에 국한된 것일 뿐이라는 볼멘소리가 나온다. 이에 정부는 다음 달부터 우리의 일하는 방식과 문화를 개선하자는 내용의 범국민 캠페인을 펼친다. 이 캠페인은 일과 가족·여가·삶이 균형과 조화를 이루자는 의미를 담고 있다

44. 이 글의 주제로 알맞은 것을 고르십시오.

① 기업들이 일자리 창출에 신경을 쓰고 있다.
② 한국 기업의 일하는 문화가 변화되고 있다.
③ 정부의 주도로 근로 문화가 많이 향상되었다.
④ 한국 기업의 근로 환경이 다른 나라보다 낫다.

45. (   )에 들어갈 내용으로 가장 알맞은 것을 고르십시오.

① 여전히 야근이 일상화되어 있으며
② 업무 능력이 향상되지 않고 있으며
③ 직원들의 만족을 우선시하고 있으며
④ 끊임없이 변화된 모습을 보여주고 있고

※ [46~47] 다음을 읽고 물음에 답하십시오. (각 2점)

최근 들어 서울 지하철 스크린도어 사고가 잇달아 발생하면서 스크린도어의 안전성에 대한 대책마련이 시급하다는 의견이 있다. (㉠) 스크린도어는 대기승객이 선로로 추락하는 것을 막기 위해 설치되었으며, 지하철 스크린도어 사이에 있는 안전보호벽은 비상시 탈출 통로로 사용된다. 만약 지하철이 엉뚱한 곳에 섰을 때 이 안전보호벽을 밀고 바로 나갈 수 있게 설계되었다. 위급 상황 시 승객이 지하철 안에서 직접 문을 열고 나올 수 있게 한 것이다. (㉡) 그런데 현재 서울 지하철 역사에 있는 스크린도어 안전보호벽의 95%는 광고판으로 설치되어 있으며, 단단하게 고정시켜 놓았기 때문에 비상시 밀고 나올 수 없는 상황이 되어 있다. (㉢) 이에 따라 비상시 탈출이 불가능한 설비를 즉각 개선해야 한다는 지적이 제기되고 있어 국토교통부는 혼잡도가 높은 서울시내 13개 역에 우선 개선을 요구했다. (㉣) 하지만, 한 해 150억 원에 이르는 광고비로 지하철 관련 예산을 충당해온 서울시는 난색을 표했다. 고정문 교체비는 500억 원, 광고수익금 손실액은 연간 156억 원 가량인 것으로 추산된다. 결국 돈 때문에 시민의 안전이 위협받고 있다.

46. 다음 문장이 들어가기에 가장 알맞은 곳을 고르십시오.

즉, 처음 설계와 달리 지금의 안전보호벽은 무용지물이 되고 있는 것이다.

① ㉠ ② ㉡ ③ ㉢ ④ ㉣

47. 이 글의 내용과 같은 것을 고르십시오.

① 지하철 광고 수익금이 시민들을 위해 사용되고 있다.
② 비상시 승객의 안전을 위해 안전보호벽 개선이 필요하다.
③ 지하철 사고를 막기 위해 스크린도어 설치가 확대되어야 한다.
④ 안전보호벽은 열차가 다른 곳에 세워지는 것을 방지하기 위한 것이다.

※ [48~50] 다음을 읽고 물음에 답하십시오. (각 2점)

올해부터 전국의 중학교에 자유학기제가 전면 시행된다. 중학교 과정 중 한 학기동안 학생들은 시험 부담에서 벗어나 자신의 적성과 미래에 대해 탐색하고 설계하는 기회를 제공한다는 취지에서 시행되는 것이다. 자유학기제는 그동안 3년의 시범운영 기간을 거쳐 올해 전면 시행에 들어가지만 그동안 드러난 문제점이 해소되지 않았다는 우려의 목소리도 높다. 아직까지 다양한 체험학습장과 체험프로그램들이 마련되어 있지 않으며, 학생과 학부모 또한 시험이 없는 자유학기제를 일종의 '노는 학기'로 인식하여 학업 분위기에 안 좋은 영향을 미칠 수 있고 자칫 잘못하면 사교육에 의존할 수 있어 부작용이 초래된다는 의견이 있다. 자유학기제가 성공하기 위해서는 시범 운영 과정에서 나왔던 문제점들을 반영하여 프로그램 구성 면에서 더 철저한 준비가 필요하다. 또한 자유학기제가 잘 정착되기 위해서는 학교만의 노력으로는 불가능하며 학교와 가정, 지역사회의 긴밀한 연결이 필요하다. 따라서 다양한 체험교육을 위한 각계의 지원과 협력이 반드시 필요하며, 다양한 직업군의 사람들과 멘토링을 통해 학생들이 자신의 재능과 꿈을 찾는 소중한 기회가 되어야 할 것이다. 자유학기제는 자신의 적성과 무관하게 점수에 맞춰 대학에 진학하고, 직업을 선택하는 현행 학교 교육에 대한 반성에서 나왔다. 그러므로 앞으로는 입시 위주의 교육에서 벗어나 인성 중심 교육으로 바뀌길 바라며 '(　　　　) 행복교육'으로 변화시키는 계기가 될 것으로 기대하고 있다.

48. 필자가 이 글을 쓴 목적을 고르십시오.

① 자유학기제의 부정적 부분을 해결하기 위해
② 자유학기제의 변화된 부분을 설명하고 설득하기 위해
③ 자유학기제가 성공적으로 잘 진행될 수 있도록 하기 위해
④ 자유학기제가 현재 한국 교육에 필요하다는 것을 주장하기 위해

49. (　　　　)에 들어갈 내용으로 알맞은 것을 고르십시오.

① 학교 교육을 반성하는
② 아이들의 자유를 침해하는
③ 학생들의 꿈과 개성을 키우는
④ 대학 입시에 대한 스트레스가 없는

50. 밑줄 친 부분에 나타난 필자의 태도로 알맞은 것을 고르십시오.

① 여러 가지 어려움에 대해 공감하고 있다.
② 그동안 나타난 문제점에 대해 걱정하고 있다.
③ 이 제도를 시행한다는 것에 대해 수긍하고 있다.
④ 앞으로 나타날 부정적 측면에 대해 예측하고 있다.

한국어능력시험 Real TOPIK Ⅱ

Chapter 03

Real TOPIK Ⅱ 3회

- 듣기 (1번~50번)
- 쓰기 (51번~54번)

듣기 (1번 ~ 50번)

※ [1~3] 다음을 듣고 알맞은 그림을 고르십시오. (각 2점)

01.

①

②

③

④

02.

①

②

③

④

03. ①
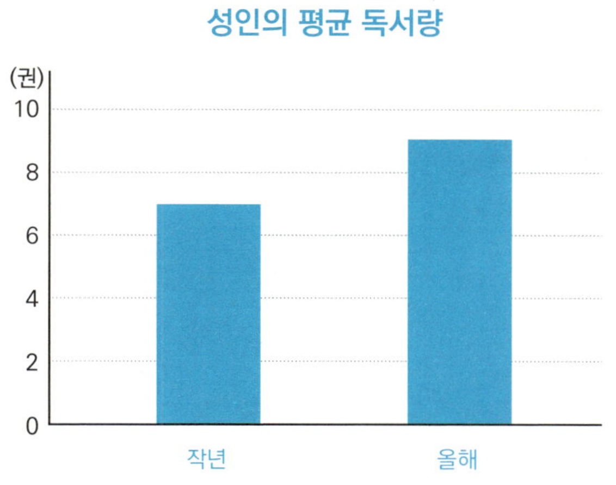

②
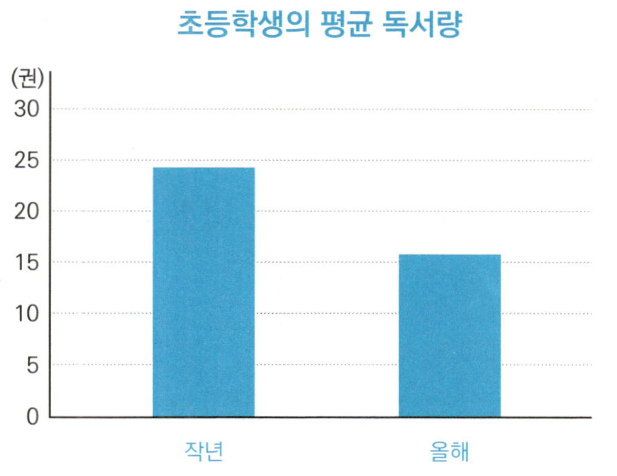

③
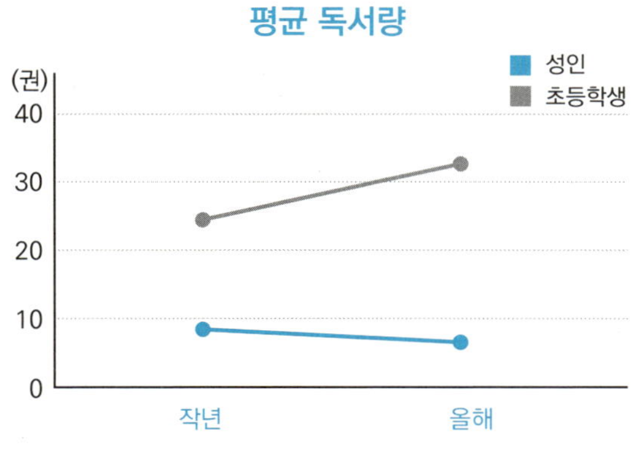

④
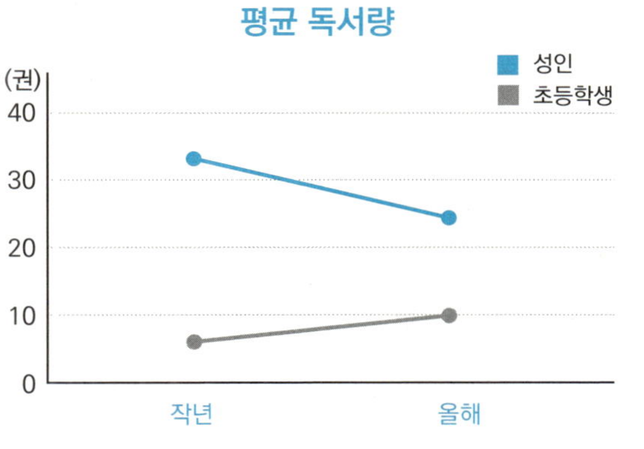

※ [4~8] 다음 대화를 잘 듣고 이어질 수 있는 말을 고르십시오. (각 2점)

04. ① 나도 모임 장소로 갈게.
② 못 만날까봐 걱정을 했어.
③ 내일은 갈 수 있으니까 걱정마.
④ 룸메이트가 아파서 같이 병원에 가야 해.

05. ① 응, 내가 가서 약을 사올게
② 아니, 좀 전에 약을 먹었어.
③ 응, 머리는 괜찮아진 것 같아
④ 아니, 문을 연 약국이 있을 거야.

06. ① 그래요? 그러면 다음에 가야겠네요.
② 내일도 추울 테니까 옷을 따뜻하게 입으세요.
③ 눈을 볼 수 있다고 생각하니까 기분이 너무 좋아요.
④ 오랜만에 눈이 오니까 우리 같이 눈싸움을 하러 가요.

07. ① 모자라게 먹는 한이 있더라도 음식을 남기는 것은 좋지 않아.
② 우리가 좀 더 많이 먹지 않고서는 음식물 쓰레기 문제는 해결되기 힘들어.
③ 자기가 먹고 싶은 것만 주문해서 먹을 게 아니라 다른 사람 생각도 좀 해야지.
④ 다 먹자니 배가 부르고 남기자니 돈이 아까울 때는 남은 음식을 포장해 와야지.

08. ① 그럼 저 대신 백화점에 좀 다녀오세요.
② 잘됐네요. 저도 그 백화점에 갔었어요.
③ 할 수 없지요. 그러면 다음 주말에 만나요.
④ 그러면 저도 제 친구를 한 명 데리고 올게요.

※ [9~12] 다음 대화를 잘 듣고 여자가 이어서 할 행동으로 알맞은 것을 고르십시오. (각 2점)

09. ① 도서관에 간다.
② 남자와 같이 간다.
③ 시험을 보러 간다.
④ 발표 숙제를 도와준다.

10. ① 쇼핑을 하러 간다.
② 등산 갈 곳을 찾는다.
③ 필요한 목록을 작성한다.
④ 산으로 등산을 하러 간다.

11. ① 150번 버스를 타러 간다.
② 바쁘니까 택시를 타러 간다.
③ 401번 버스를 타고 남산으로 간다.
④ 택시에서 내린 뒤에 버스로 환승한다.

12. ① 다른 선생님을 알아본다.
② 담당 선생님께 전화를 한다.
③ 담당 선생님을 직접 찾아간다.
④ 입학 설명회 준비를 시작한다.

※ [13~16] 다음을 듣고 내용과 일치하는 것을 고르십시오. (각 2점)

13. ① 두 사람은 버스를 타고 가고 있다.
② 두 사람은 방금 목적지에 도착했다.
③ 이야기하다가 내려야 할 곳에서 내리지 못했다.
④ 두 사람은 다음 역에서 내린 뒤에 기차를 탈 것이다.

14. ① 남자는 감기 몸살에 걸렸다.
② 남자는 내일도 병원에 올 것이다.
③ 남자는 약만 먹고 쉬지는 않을 것이다.
④ 주사를 맞으면 감기가 바로 나을 것이다.

15. ① 애완견을 키우면 스트레스를 더 받는다.
② 애완견을 키우는 아이들의 집중력이 더 높다.
③ 애완견은 아이들이 있는 가정에서 많이 키운다.
④ 앞으로 애완견을 키우는 가정이 점점 감소할 것이다.

16. ① 기부를 하려는 사람들이 점차 줄어들고 있다.
② 사람들은 기부금이 어디에 사용되는지 잘 알고 있다.
③ 기부를 하지 않는 가장 큰 원인은 어려운 경제형편 때문이다.
④ 기부금 사용 내역을 공개하면 투명성에 대한 불신이 높아진다.

※ [17~20] 다음을 듣고 남자의 중심 생각을 고르십시오. (각 2점)

17. ① 연말에는 휴가를 꼭 가야 한다.
② 회사가 바빠도 가족여행을 가야 한다.
③ 휴가를 못 가면 회사를 그만 둘 것이다.
④ 회사보다 가족과 같이 시간을 보내는 것이 중요하다.

18. ① 휴대폰으로 게임을 하면 안 된다.
② 휴대폰을 오랫동안 사용하면 중독이다.
③ 휴대폰의 편리한 기능을 사용하면 중독이 아니다.
④ 모르는 단어와 필요한 정보를 휴대폰으로 찾을 수 있다.

19. ① 결혼은 필수적으로 해야 한다.
② 결혼하려면 돈이 많이 필요하다.
③ 결혼하기 전에 집을 꼭 사야 한다.
④ 결혼은 꼭 해야 하는 것은 아니다.

20. ① 술을 마시면 건강에 나쁘다.
② 매일 술을 마셔야 더 건강하다.
③ 술을 마실 때는 적당히 마셔야 한다.
④ 회식을 할 때는 꼭 술을 마셔야 한다.

※ [21~22] 다음을 듣고 물음에 답하십시오. (각 2점)

21. 남자의 중심 생각으로 알맞은 것을 고르십시오.

① 할인 행사를 더 많이 해야 한다.
② 우리나라의 경제가 더 발전해야 한다.
③ 이 할인 행사는 경제적인 효과를 얻을 수 있다.
④ '코리아 블랙 프라이데이'는 백화점에서만 해야 한다.

22. 들은 내용으로 맞은 것을 고르십시오.

① 지난주에 '코리아 블랙 프라이데이'가 끝났다.
② 여자는 행사 때 물건 값이 싸서 충동구매를 했다.
③ 실제 '코리아 블랙 프라이데이'는 뉴스에서 알려진 것과 달랐다.
④ 여자는 '코리아 블랙 프라이데이' 때 인터넷보다 싼 물건이 많다고 생각한다.

※ [23~24] 다음을 듣고 물음에 답하십시오. (각 2점)

23. 여자가 무엇을 하고 있는지 고르십시오.

① 체크카드 재발급 방법을 문의하고 있다.
② 체크카드 재발급 기간을 확인하고 있다.
③ 은행의 위치와 영업시간을 알아보고 있다.
④ 체크카드 재발급을 위한 서류를 신청하고 있다.

24. 들은 내용으로 맞는 것을 고르십시오.

① 인터넷으로는 재발급을 신청할 수 없다.
② 여자는 인터넷으로 필요한 서류를 냈다.
③ 여자는 시간이 없어서 은행에 방문할 수 없다.
④ 전화로 요청하면 바로 체크카드를 받을 수 있다.

※ [25~26] 다음을 듣고 물음에 답하십시오. (각 2점)

25. 남자의 중심 생각으로 알맞은 것을 고르십시오.

① 비행기 표의 취소와 환불 방법이 쉬워야 한다.
② 비행기가 결항 할 경우 여러 대처 방법을 알고 있어야 한다.
③ 이상기후로 인한 비행기의 결항에 대한 해결 방법이 필요하다.
④ 다른 비행기를 예약할 경우 추가 비용이 들지 않도록 해야 한다.

26. 들은 내용으로 맞는 것을 고르십시오.

① 비행기가 결항되면 피해보상을 받을 수 있다.
② 최근 이상기후로 인해 비와 눈이 자주 내린다.
③ 비행기의 출발이 지연되면 비행기 표를 환불할 수 있다.
④ 비행기 결항 시에는 항공사에서 다른 비행기를 예약해준다.

※ [27~28] 다음 내용을 듣고 물음에 답하십시오. (각 2점)

27. 남자가 여자에게 말하는 의도를 고르십시오.

① 해수면 상승 원인을 설명하기 위해
② 섬나라의 위기 극복 방안을 제시하기 위해
③ 지구 온난화와 해수면 상승의 관계를 분석하기 위해
④ 지구 온난화를 막기 위한 노력이 필요함을 강조하기 위해

28. 들은 내용으로 맞는 것을 고르십시오.

① 지구 온난화는 최근에 생긴 것이다.
② 해수면이 상승해도 섬나라는 문제가 없다.
③ 지구 온난화를 막을 수 있는 방법은 없다.
④ 80년 후에는 지금보다 해수면이 더 높아질 것이다.

※ [29~30] 다음 내용을 듣고 물음에 답하십시오. (각 2점)

29. 남자는 누구인지 맞는 것을 고르십시오.

① 회사 사장
② 뉴스 기자
③ 기차 운전사
④ 고속철도 직원

30. 들은 내용으로 맞는 것을 고르십시오.

① 기차의 모양과 속도는 관련성이 없다.
② 새 고속열차는 속도가 빠른 대신에 사고가 자주 난다.
③ 새 고속철도는 기존의 고속철도보다 약 20km 더 빠르다.
④ 현재 고속철도는 속도가 빠른 대신에 안정성이 떨어진다.

※ [31~32] 다음 내용을 듣고 물음에 답하십시오. (각 2점)

31. 남자의 생각으로 알맞은 것을 고르십시오.

① 겨울철 실외 운동은 건강에 좋다.
② 겨울철 실외 운동은 건강에 해롭다.
③ 운동을 한 후에는 물을 꼭 마셔야 한다.
④ 겨울에는 아침에 운동하는 것이 더 효과가 있다.

32. 남자의 태도로 맞는 것을 고르십시오.

① 여자의 의견을 일부 반대하고 있다.
② 근거를 들어서 여자에게 설명하고 있다.
③ 여자의 말에 적극적으로 동의하고 있다.
④ 자신의 예를 들어서 여자를 설득시키고 있다.

※ [33~34] 다음 내용을 듣고 물음에 답하십시오. (각 2점)

33. 무엇에 대한 내용인지 맞는 것을 고르십시오.

① 카드 포인트 적립 방법과 사용처
② 신용카드 사용 방법과 발급 절차
③ 신용카드 종류 및 홈페이지 이용 방법
④ 카드 포인트의 확인 및 사용 방법 안내

34. 들은 내용으로 맞는 것을 고르십시오.

① 카드 포인트는 실제 돈과 동일하다.
② 카드 포인트로 물건을 구입할 수 있다.
③ 사람들은 신용카드에 대해서 잘 모른다.
④ 은행 홈페이지에서 포인트 확인을 할 수 있다.

※ [35~36] 다음을 듣고 물음에 답하십시오. (각 2점)

35. 남자는 무엇을 하고 있는지 고르십시오.

① 님비 현상의 문제점을 지적하고 있다.
② 님비 현상의 해결 방법을 제시하고 있다.
③ 시민들의 의견 수렴 방법을 소개하고 있다.
④ 지역 간의 갈등이나 싸움의 원인을 설명하고 있다.

36. 들은 내용으로 맞는 것을 고르십시오.

① 시민들이 싫어하는 시설은 안 지어도 된다.
② 시민들의 의견을 무시하면 '님비 현상'을 해결할 수 있다.
③ 시민들은 쓰레기 처리장과 장애인 시설의 건설을 싫어한다.
④ 쓰레기 처리장과 장애인 시설을 서로 건설하려고 지역 간에 싸우기도 한다.

※ [37~38] 다음을 듣고 물음에 답하십시오. (각 2점)

37. 여자의 중심 생각으로 알맞은 것을 고르십시오.

① 실외 흡연금지법으로 간접흡연의 피해를 막을 수 있을 것이다.
② 다수의 국민들은 여러 장소를 금연구역으로 선정하는 것에 찬성한다.
③ 실외 흡연금지법을 만들기 전에 흡연자를 위한 공간도 고려해야 한다.
④ 실외 흡연금지법이 생기면 길거리에서 담배를 피우는 사람은 없을 것이다.

38. 들은 내용과 일치하는 것을 고르십시오.

① 담배를 피울 수 있는 공간이 많다.
② 아직은 간접흡연 피해가 거의 없다.
③ 지금 실내에서는 담배를 피울 수 없다.
④ 많은 국민들이 금연구역 지정을 반대한다.

※ [39~40] 다음을 듣고 물음에 답하십시오. (각 2점)

39. 앞의 내용으로 알맞은 것을 고르십시오.

① 다이어트를 하는 방법에는 여러 가지가 있다.
② 아침 대신에 먹을 수 있는 음식을 소개했다.
③ 바쁜 일상 때문에 아침을 먹지 않는 사람이 많다.
④ 다이어트를 하는 가장 효과적인 시간을 제시했다.

40. 들은 내용과 일치하는 것을 고르십시오.

① 아침과 저녁을 먹는 시간에 따라 살을 뺄 수도 있다.
② 요즘에는 바쁜 일상으로 아침을 못 먹는 사람들이 많다.
③ 예전에는 다이어트를 위해서 아침을 먹는 사람이 많았다.
④ 아침을 적게 먹고 저녁을 많이 먹으면 다이어트에 도움이 된다.

※ [41~42] 다음을 듣고 물음에 답하십시오. (각 2점)

41. 중심 내용으로 맞는 것을 고르십시오.

① 자신의 적성을 살펴서 직업을 선택해야 한다.
② 유명한 연예인이 되려면 적성에 맞아야 한다.
③ 연예인이 되면 누구나 쉽게 명성을 얻을 수 있다.
④ 연예인이 되려면 다이어트나 성형수술을 해야 한다.

42. 들은 내용과 일치하는 것을 고르십시오.

① 방송은 연예인들의 화려한 면을 더 부각시켜야 한다.
② 연예인은 생각보다 스트레스를 덜 받아서 매력적인 직업이다.
③ 요즘 청소년들은 자신의 적성보다 돈을 많이 버는 직업을 선호한다.
④ 직업 선호도 조사에 따르면 연예인이 되려고 하는 청소년들이 많다고 한다.

※ [43~44] 다음을 듣고 물음에 답하십시오. (각 2점)

43. 중심 내용으로 맞는 것을 고르십시오.

① 펭귄들은 발등에서 발등으로 알을 옮긴다.
② 펭귄들은 아랫배 사이 털 속에 알을 넣어 보관한다.
③ 암컷 펭귄들은 아무 것도 먹지 못한 채 며칠을 보내야 한다.
④ 펭귄들은 새끼들이 바다에 들어갈 수 있을 때까지 보호한다.

44. 수컷이 새끼에게 먹이를 토해서 먹이는 이유로 맞는 것을 고르십시오.

① 새끼를 통해 영양분을 얻기 위해서
② 갓 태어난 새끼들의 체온 유지를 위해서
③ 암컷이 없는 사이에 태어난 새끼들을 위해서
④ 오랫동안 서 있던 수컷 펭귄의 수분 배출을 위해서

※ [45~46] 다음을 듣고 물음에 답하십시오. (각 2점)

45. 들은 내용과 일치하는 것을 고르십시오.

① 보통 비만보다 마른 비만이 더 위험하다.
② 비만 인구가 나타난 지 얼마 되지 않았다.
③ 비만은 유전적인 요인과 별로 관계가 없다.
④ 비만이면 병원에 가서 검사를 받아야 한다.

46. 남자가 말하는 방식으로 가장 알맞은 것을 고르십시오.

① 비만의 원인을 분석하고 있다.
② 비만의 종류와 원인을 설명하고 있다.
③ 다이어트 방법을 요약해서 제시하고 있다.
④ 일반적인 비만과 마른 비만을 비교하고 있다.

※ [47~48] 다음을 듣고 물음에 답하십시오. (각 2점)

47. 들은 내용과 일치하는 것을 고르십시오.

① 남자는 무단횡단을 하면 안 된다고 주장하고 있다.
② 남자는 횡단보도를 더 많이 설치해야 한다고 생각한다.
③ 여자는 무단횡단 하는 보행자의 잘못이 더 크다고 생각한다.
④ 여자는 규정 속도만 지키면 교통사고를 줄일 수 있다고 주장한다.

48. 남자의 태도로 가장 알맞은 것을 고르십시오.

① 무단횡단 사고에 대해 평가를 유보하고 있다.
② 보행자보다 운전자에 더 관대한 태도를 보인다.
③ 무단횡단을 하는 보행자에게 협조를 당부하고 있다.
④ 횡단보도 설치의 비효율성 지적하고 시정을 촉구하고 있다.

※ [49~50] 다음을 듣고 물음에 답하십시오. (각 2점)

49. 들은 내용으로 맞는 것을 고르십시오.

① 감기약은 의사의 처방 없이도 구입할 수 있다.
② 약을 많이 먹으면 그 만큼 건강이 더 좋아진다.
③ 담배와 술을 하면 약을 과다 복용할 확률이 낮다.
④ 아플 때라도 의사의 처방 없이 약을 먹으면 안 된다.

50. 남자의 태도로 가장 알맞은 것을 고르십시오.

① 약물 과다복용의 원인과 위험성을 안내하고 있다.
② 각종 의약품의 효과에 대한 맹신을 경계하고 있다.
③ 진통제와 감기약의 올바른 복용 방법을 설명하고 있다.
④ 의사의 잘못된 처방으로 인해 생길 문제점을 우려하고 있다.

쓰기 (51번~54번)

※ [51~52] 다음을 읽고 ㉠과 ㉡에 들어갈 말을 각각 한 문장으로 쓰시오. (각 10점)

51.

정우 씨, 그동안 잘 지냈어요??
한국에서 돌아온 지 벌써 6개월이 (　　㉠　　).
올해 제가 원하는 회사에 취직을 하게 되어서 기뻤지만
정우 씨와 자주 연락을 할 수 없어서 아쉬웠습니다.
정우 씨에게 편지와 함께 감사의 선물을 보내는데 선물이
마음에 (　　㉡　　).

52.

올해 들어 벌써 강력한 지진이 5차례나 발생했습니다. 지진이 자주 발생하고 있는 만큼 지진 발생 시 대처 방법을 알려드리도록 하겠습니다. 먼저 가스레인지를 꺼야 합니다. 그렇지 않으면 집 안에 (　　㉠　　). 그 다음에는 방송 안내에 따라 밖으로 대피해야 하는데 엘리베이터 보다는 (　　㉡　　). 대피가 힘든 상황일 때는 책상 밑으로 피하는 것이 좋습니다.

53. 다음을 참고하여 '택배 차량의 아파트 진입 금지'에 대한 택배회사와 아파트 측의 입장에 대한 글을 200~300자로 쓰시오. 단, 글의 제목을 쓰지 마시오. (30점)

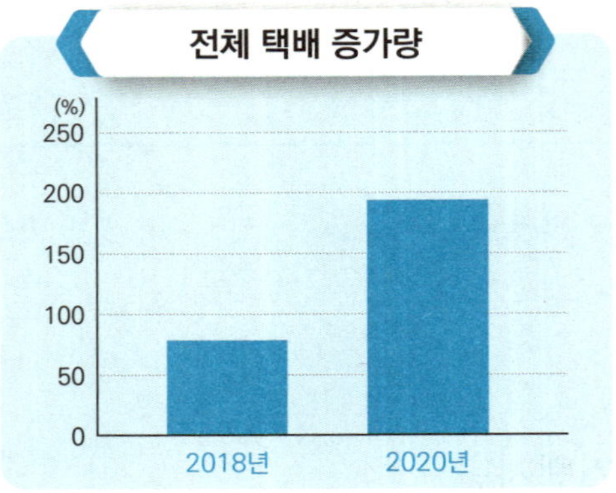

택배회사의 입장

- 1위 무거운 택배는 배달할 방법이 없어서
- 2위 걸어서 배달하면 시간이 오래 걸려서
- 3위 택배 분실 위험이 있어서

아파트의 입장

- 1위 아파트 내 도로가 없어서 위험해서
- 2위 아이들 안전사고의 우려가 있어서
- 3위 아파트 주민들도 차량 진입 금지라서

54. 다음을 주제로 하여 자신의 생각을 600~700자로 글을 쓰시오. 단, 문제를 그대로 옮겨 쓰지 마시오. (50점)

최근 취업난으로 인해서 졸업의 조건을 모두 갖추고도 일부러 대학교를 졸업하지 않는 학생들이 있다. 하지만 수업을 듣지 않는데도 등록금을 내야 하는 학교가 많다. 이에 대해서 아래의 내용을 중심으로 자신의 생각을 쓰라.

1) 취업난이 발생하게 된 이유는 무엇인가?
2) 대학교의 졸업을 늦게 하는 것이 취직에 도움이 되는가?
3) 일부러 졸업을 하지 않는 학생도 등록금을 내야 하는가?

* 원고지 쓰기의 예

한국 사람은 '우리'라는 말을 자주 쓴다. 이는 가족주의에서 비롯되었다.

한국어능력시험
Real TOPIK Ⅱ

Chapter 03

Real TOPIK Ⅱ 3회

읽기 (1번~50번)

읽기 (1번 – 50번)

※ [1~2] (   )에 들어갈 가장 알맞은 것을 고르십시오. (각 2점)

01. 올 겨울은 눈이 (   ) 외출이 불편할 정도이다.

① 많이 내렸다가
② 많이 내렸지만
③ 많이 내렸을 텐데
④ 많이 내렸기 때문에

02. 최근 인터넷이 급속하게 (   ) 여러 가지 부작용도 나타나고 있다.

① 발전할 바에야
② 발전함에 따라
③ 발전하는 셈치고
④ 발전하기에 망정이지

※ [3~4] 다음 밑줄 친 부분과 의미가 비슷한 것을 고르십시오. (각 2점)

03. 많은 것을 보고 <u>배우고자</u> 유학을 결심하게 되었습니다.

① 배우자마자
② 배우는 대신
③ 배우려고
④ 배우더라도

04. 오늘이 12월 26일이니까 올해도 다 <u>지난 셈이다.</u>

① 지났을 뿐이다
② 지난 것이나 다름없다
③ 지났을 리가 없다
④ 지났으면 좋겠다

※ [5~8] 다음은 무엇에 대한 글인지 고르십시오. (각 2점)

05.

이제 나도 마술사!
말 한마디로 채널을 바꿀 수 있고, TV 볼륨도 조절할 수 있게 됩니다.

① 학교 광고 ② 스피커 광고 ③ 마술학원 광고 ④ 텔레비전 광고

06.

다이어트는 이제 그만!
신고 걷기만 해도 자연스럽게 빠지는 살

① 침대 광고 ② 운동화 광고 ③ 건강식품 광고 ④ 다이어트 식품 광고

07.

최고의 서비스, 저렴한 가격
당신이 원하는 곳은 어디든지 모십니다.

① 영화관 홍보 ② 항공사 홍보 ③ 레스토랑 홍보 ④ 안마 의자 광고

08.

- 대학교 사무실은 평일 오전 9시부터 11시까지 문을 엽니다.
- 학자금 대출을 원하는 합격자는 2월 10일까지 사무실로 방문하시기 바랍니다.

① 대출 광고 ② 이용 안내 ③ 대학교 홍보 ④ 등록방법

※ [9~12] 다음 글 또는 그래프의 내용과 같은 것을 고르십시오. (각 2점)

09.

OOO 등산 동호회 안내

- 가입 조건: 등산을 좋아하는 사람이라면 남녀노소 누구나 가능
- 한 달에 한 번 등산모임이 있음
- 일 년에 6번 이상 등산을 가지 않으면 동호회 회원 자격을 상실함
- 등산을 할 때 필요한 것은 각자 준비해야 함

① 이 모임은 일 년에 6번 등산을 간다.
② 등산할 때 동호회에서 점심을 제공한다.
③ 이 모임에 가입하려면 가입비가 필요하다.
④ 일 년에 7번 등산을 안 가면 탈퇴 당한다.

10.

교육기관 별 취업자 수 비율

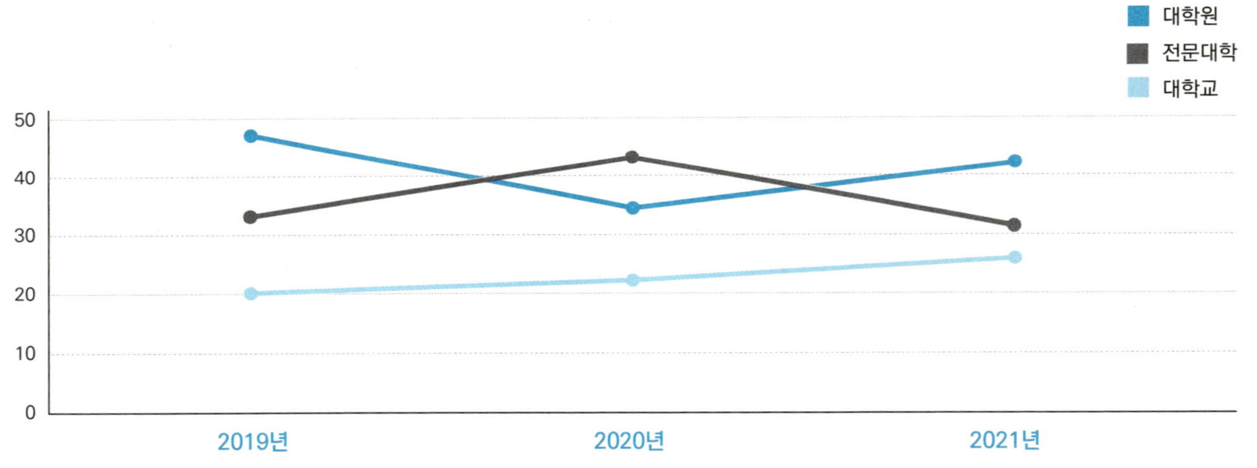

① 취업자 수는 대학원이 항상 많았다.
② 2020년에는 대학원의 취업자 비율이 가장 낮았다.
③ 2019년에는 전문대학의 취업자 비율이 가장 높았다.
④ 2021년에는 전문대학보다 대학원의 취업자 비율이 더 높다.

11.

보통 졸업식이라는 단어를 들으면 2월에 졸업식을 한다는 생각을 떠올리기 마련이다. 하지만 요즘 일부 학교에서는 12월이나 1월로 앞당겨서 졸업식을 하고 있다. 졸업식을 빨리 하는 이유로는 불필요한 시간을 줄일 수 있고 학생들도 방학이 더 길어져서 가족과 여행을 가거나 자기계발의 시간을 가질 수 있기 때문이다.

① 가족과 여행을 가면 방학이 더 생긴다.
② 졸업식을 빨리하면 방학이 더 길어진다.
③ 대부분의 학교는 졸업식을 1월 전에 한다.
④ 많은 학생들이 졸업식을 빨리 하기를 원한다.

12.

날씨가 추워지면서 몸을 따뜻하게 할 수 있는 제품들이 많이 팔린다. 그와 비례해서 화상을 입는 환자들도 늘어나게 되었는데 저온화상 때문이다. 저온화상이란 일반적인 화상과는 달리 40~50도 정도의 높지 않은 온도에서 화상을 입는 것을 말하는데, 뜨겁다는 것을 인식하지 못하기 때문에 저온화상을 입게 될 확률이 무척이나 높다. 이를 막으려면 이러한 제품들을 오랫동안 사용하지 말아야 한다.

① 50도 이하의 온도에서는 화상을 입지 않는다.
② 저온화상은 일반적인 화상에 비해서 심각하지 않다.
③ 저온화상을 입을 확률은 일반적인 화상보다 높지 않다.
④ 온도가 높지 않아도 오래 지속되면 화상을 입을 수 있다.

※ [13~15] 다음을 순서대로 맞게 배열한 것을 고르십시오. (각 2점)

13.

(가) 운동을 하면 기억력이 나빠지지 않는다고 한다.
(나) 나이가 들면 점점 기억력이 나빠진다.
(다) 하지만 기억력이 나빠지지 않는 방법이 있다.
(라) 바로 운동을 하는 것이다.

① (라) - (가) - (나) - (다) ② (라) - (다) - (가) - (나)
③ (나) - (다) - (라) - (가) ④ (나) - (라) - (다) - (가)

14.

(가) 새해를 맞아 등산을 가는 사람들이 늘어나고 있습니다.
(나) 등산을 할 때는 체온 유지가 중요하기 때문에 옷을 많이 입어야 합니다.
(다) 또 사탕이나 초콜릿 가지고 가는 것도 좋습니다.
(라) 하지만 겨울 등산은 무척이나 위험합니다.

① (가) - (라) - (나) - (다) ② (가) - (나) - (라) - (다)
③ (나) - (다) - (라) - (가) ④ (나) - (가) - (다) - (라)

15.

(가) 따라서 하이힐을 오랜 시간 신은 날은 발과 다리를 스트레칭 해 주어야 한다.
(나) 하지만 하이힐도 적당히 신으면 오히려 다리 건강에 도움이 된다.
(다) 보통 사람들은 하이힐을 신으면 다리 건강에 안 좋다고 생각한다.
(라) 다만 너무 오랫동안 신으면 다리 건강에 좋지 않다.

① (다) - (가) - (라) - (나) ② (다) - (라) - (나) - (가)
③ (다) - (나) - (라) - (가) ④ (다) - (라) - (가) - (나)

※ [16~18] 다음을 읽고 (　　　　)에 들어갈 내용으로 가장 알맞은 것을 고르십시오. (각 2점)

16.

많은 직장인들이 과도한 업무뿐만 아니라 수많은 모임 때문에 잠을 잘 시간조차 부족하다고 한다. 특히 연말이 되면 회식 모임이 많아져서 길면 6시간, 짧으면 2~3시간만 자고 다시 출근을 해야 할 때도 있다고 한다. 적절한 수면 시간은 7시간인데 이에 미치지 못하는 직장인들이 많다는 것이다. 이렇게 수면이 부족하면 (　　　　) 건강도 해치게 될 것이다.

① 술을 더 잘 마시게 되고
② 업무의 효율이 떨어지고
③ 교통비용이 더 들게 되고
④ 회사에 더 일찍 출근해야 되고

17.

대형 마트에 가면 야채와 과일을 파는 코너 구석에 새롭게 자리를 잡은 코너가 보인다. 바로 못생긴 야채 코너이다. 말 그대로 모양이 못생긴 야채를 파는 곳인데 못생긴 모양으로 인해 가격이 더 저렴하다. 가격이 (　　　　). 일반 야채와 완전히 동일하지만 모양만 못생긴 것뿐이다. 이에 많은 주부들은 이 못생긴 야채를 더 선호한다고 한다.

① 저렴해서 맛은 없는 편이다.
② 저렴해서 많은 양을 살 수 있다.
③ 저렴하지만 못생겨서 찾는 사람이 적다.
④ 저렴하지만 품질이 떨어지는 것은 아니다.

18.

스마트 폰과 컴퓨터를 오랜 시간 사용하면서 눈이 나빠지는 사람들이 급격히 늘어나고 있다. 이는 스마트 폰이나 컴퓨터에서 나오는 파란색의 불빛이 눈에 악영향을 미치기 때문이다. 그러면서 덩달아 이 파란색의 불빛을 차단해주는 제품들이 (　　　　) 이러한 차단 제품들의 효과는 아주 미미하다.

① 출시되었지만
② 진형되었지만
③ 줄어들었는데
④ 활용되었는데

※ [19~20] 다음을 읽고 물음에 답하십시오. (각 2점)

서울시의 아파트 화재로 인해 120여명의 사상자가 발생했다. 이 화재의 가장 큰 원인은 바로 부실 공사로 밝혀졌다. 아파트를 지을 때 비용을 줄이려고 싼 가격의 재료를 사용하거나 대피 시설 등을 만들지 않은 것이다. 결국 이러한 이유로 작은 불이 발생하자 순식간에 큰 화재로 번진 것이다. (　　　) 구청에서는 1년 동안 이 건물을 한 번도 점검을 한 적이 없다. 건물을 처음 건설 할 때는 물론이고 완성된 다음에도 각종 시설들이 잘 갖춰졌는지 등을 점검하지 않았던 것이다.

19. (　　　)에 들어갈 알맞은 고르십시오.

① 그러면　　② 게다가
③ 설마　　④ 과연

20. 이 글의 내용과 같은 것을 고르십시오.

① 아파트 점검은 1년에 한 번만 한다.
② 서울의 모든 아파트에는 불 끄는 시설이 없다.
③ 화재가 발생한 원인은 부실 공사를 했기 때문이다.
④ 싼 가격의 재료로 건물을 지어서 피해를 줄일 수 있었다.

※ [21~22] 다음을 읽고 물음에 답하십시오. (각 2점)

아파트 문화가 발달하면서 이웃 간에 층간 소음으로 다투는 일이 많아지고 있다. 특히 공동주택이나 고시원에서는 더욱 심각해서 살인이라는 극단적인 범죄를 저지르는 일도 발생하고 있다. 보통 이런 층간 소음이 발생하면 그 집에 직접 찾아가서 항의하는 사람들이 있는데 이것은 현명한 방법이 아니다. 이웃과 (   ) 위해서는 관리 사무소나 민원센터를 통해서 해결해야 한다. 하지만 더 좋은 방법은 주민들 사이에 서로를 배려하는 마음을 지니는 것이다.

21. (   )에 들어갈 알맞은 고르십시오.

① 다투기
② 관계를 맺기
③ 충돌을 피하기
④ 갈등을 일으키기

22. 위 글의 중심 생각을 고르십시오.

① 직접 찾아가서 층간 소음 문제를 해결하면 안 된다.
② 아파트 문화가 발달되면서 층간 소음 문제가 발생하게 되었다.
③ 층간 소음이 발생하면 관리 사무소나 민원센터를 통해서 해결해야 한다.
④ 주민 간에 서로를 배려하는 마음이 있으면 층간 소음 문제를 해결할 수 있다.

※ [23~24] 다음을 읽고 물음에 답하십시오. (각 2점)

한국에 와서 식당에서 아르바이트를 한 적이 있다. 한국어도 잘 못하고 아르바이트가 처음이라서 실수도 많이 했다. 어느 날, 주말 저녁 한 가족이 식사를 한 후에 계산을 했다. 그런데 가족을 보내고 나서 밥값을 잘못 계산한 것을 알게 되었다. 바로 밖으로 나가 그 가족을 찾았지만 가족을 찾을 수 없었다. 나는 너무 미안하고 걱정이 되어서 일이 손에 잡히지 않았다. 그래서 사장님께 상황을 설명하고 그 가족을 찾아 나섰다. 식당 근처를 이리 저리 뛰어다닌 끝에 저 멀리 걸어가는 그 가족을 찾을 수 있었다. 나에게 화를 내거나 짜증을 내면 어쩌나 하는 생각을 하며 헐레벌떡 뛰어가서 상황을 설명했다. 그러자 그 가족은 오히려 미안해하며 "식당 음식도 맛있고 너무 친절하게 서비스를 해 주셔서 기분 좋게 외식을 할 수 있었어요. 저희도 밥값을 잘못 계산한 줄 몰랐네요. 여기까지 뛰어오느라 힘들었겠어요." 라고 하며 따뜻하게 말해 주었다. 그 말에 나는 <u>눈물이 나는 것을 참느라 혼났다.</u>

23. 밑줄 친 부분에 나타난 '나'의 심정으로 알맞은 것을 고르십시오.

① 비관적이다
② 감동적이다
③ 소극적이다
④ 사교적이다

24. 위 글의 내용과 같은 것을 고르십시오.

① 그 가족이 더 잘못했다고 사과했다.
② 나는 그 가족을 직접 찾을 수 있었다.
③ 그 가족이 나에게 화를 내서 눈물이 났다.
④ 나는 일이 끝난 후에 그 가족을 찾으러 갔다.

※ [25~27] 다음 신문 기사의 제목을 가장 잘 설명한 것을 고르십시오. (각 2점)

25.

어린이집 아동 학대, 정부는 뒷짐만 지고 있어

① 어린이집에서 아동 학대가 많이 일어나고 있다.
② 아동 학대 사건에 대해 정부가 대책을 마련하고 있다.
③ 어린이집에서 정부에 아동 학대 사건의 조사를 요청했다.
④ 아동 학대 사건이 일어났지만 정부는 아무것도 하지 않았다.

26.

만 가지의 병을 고칠 수 있다는 명약, 알고 보니 감기약

① 명약을 먹고 감기가 나았다.
② 감기약이 효과가 좋아서 유명해졌다.
③ 만 가지의 병을 고친다는 약은 가짜였다.
④ 감기약으로 만 가지의 병을 고칠 수 있다.

27.

추위 잊은 예매 전쟁, 아침부터 설날 열차 승차권 예매로 '북적 북적'

① 열차표를 사려는 사람들이 서로 싸웠다.
② 추운 날씨에도 열차표를 사려는 사람들이 많다.
③ 날씨가 추워서 사람들이 기차역에 많이 몰려들었다.
④ 설날에 고향에 가려는 사람들로 기차역이 북적였다.

※ [28~31] 다음을 읽고 (　　　　)에 들어갈 내용으로 가장 알맞은 것을 고르십시오. (각 2점)

28.

해마다 기내에서의 불법 행위가 늘어나고 있다. 최근 2년 사이에 200%나 증가했다는 보고도 있다. 그 중 가장 많은 불법 행위는 흡연, 폭언, 성희롱 순이었다. 이 같은 불법 행위를 저지를 경우 최고 500만원의 벌금을 내야 한다. 하지만 갈수록 (　　　　) 정부에서는 벌금을 5천 만 원으로 확대하는 등 법을 강화하고 있다.

① 승무원이 바빠지자
② 불법 행위가 증가하자
③ 담배의 가격이 오르기에
④ 비행기 표가 더 비싸지자

29.

겨울이 되면 날씨가 건조해진다. 이에 많은 사람들이 가습기를 사용하게 되는데 자칫 잘못 사용하게 되면 세균이 퍼져서 건강이 악화될 수도 있다. 가습기를 제대로 사용하는 방법은 하루에 한 번 청소 해 주어야 하고, 연속해서 3시간 이상 사용하지 않아야 한다. 3시간 사용 후 10분 이상 (　　　　) 한다. 공기가 정체되어 있으면 오히려 세균이 퍼질 수 있기 때문이다. 그리고 가습기에 너무 가까이 다가가지 않는 것이 좋다.

① 환기를 해야
② 소독을 해야
③ 청소를 해야
④ 가열을 해야

30.

개명, 즉 이름을 바꾸는 사람들이 해가 갈수록 늘어나고 있다. 사람들이 개명을 하는 이유는 무엇일까? 이름이 이상해서 바꾸는 사람들도 있지만 대부분의 사람들은 더 좋은 이름을 가지기 위해 개명을 신청하는 사람들이 많다. 이름만으로도 인생이 바뀐다고 생각하기 때문이다. 이름이 수명이나 직업 등에 영향을 미치기 때문에, 이름이 안 좋으면 빨리 죽거나 돈을 많이 벌지 못한다고 생각하는 것이다. 특히 젊은 사람들은 취직이 잘 안 되거나 국가시험에 계속 합격하지 못하면 이를 (   ) 개명을 하는 사람들이 많다.

① 기회로 삼아서
② 잘못 해석하고
③ 이름 탓으로 돌리고
④ 정보 공유를 위해서

31.

작년부터 각 병원의 혈액 공급이 부족해졌다. 헌혈을 하게 되면 각종 병에 걸리거나 건강이 나빠진다는 등의 헌혈에 대한 잘못된 인식 때문이다. 하지만 이는 사실과 다르다. 오히려 헌혈을 자주 하면 심장병을 예방할 수 있다는 연구 결과도 있다. 이 사실을 알리기 위해 병원과 각종 단체에서 헌혈 홍보에 나섰지만 아직도 헌혈량은 부족한 상황이다. 지금부터라도 헌혈에 대한 (   ) 많은 사람들이 헌혈에 동참하게 될 것으로 예상된다.

① 홍보를 하지 않는다면
② 각종 부작용을 홍보한다면
③ 올바른 지식을 연구한다면
④ 잘못된 인식을 바로 잡는다면

※ [32~34] 다음을 읽고 내용이 같은 것을 고르십시오. (각 2점)

32.

택시는 편리한 교통수단이만 저녁 시간만 되면 잡기가 힘들어진다. 거리에 택시는 많지만 목적지를 말하는 순간 그냥 가버리는 경우가 있는데 이를 승차 거부라고 한다. 승차 거부는 정당한 이유 없이 승객이 택시를 타는 것을 거부하는 것으로 이는 불법이다. 경찰들이 단속도 하고 있지만 줄어들지 않고 있어 많은 사람들의 불만이 꾸준히 제기되고 있다. 하지만 택시 기사들도 그럴 수밖에 없다고 항변을 한다. 너무 가까운 거리를 가는 손님을 태우게 되면 장거리를 가는 손님을 태우는 경우보다 돈을 더 벌기 힘들기 때문이라는 것이다.

① 승차 거부로 인해 택시 기사들이 힘들다고 한다.
② 승차 거부에 대한 단속이 없어서 어려움이 많다.
③ 승차 거부는 장거리 손님을 태우지 않는 것을 말한다.
④ 승차 거부는 정당한 이유가 없을 경우 불법에 해당된다.

33.

사람들은 유해한 물질에 노출되어 암에 걸리는 것을 막기 위해 친환경 제품을 사용한다. 하지만 많은 사람들은 매일 유해 물질에 노출되면서도 이를 인식하지 못하고 있는 것이 있다. 바로 영수증이다. 마트에서 물건을 산 뒤에 받는 영수증의 표면 속에 수많은 유해 물질이 포함되어 있다. 손으로 잡기만 해도 유해한 물질이 몸속으로 흡수되어 암을 유발하는 등 여러 가지 악영향을 미치기 때문에 영수증을 받지 않거나 손으로 직접 만지지 않아야 한다.

① 친환경 제품을 사용해도 암에 걸릴 수 있다.
② 영수증에는 유해 물질이 있어서 직접 만지면 위험하다.
③ 최근에는 암에 걸리는 사람들이 급격히 증가하고 있다.
④ 자주 쇼핑을 하면 쇼핑을 안 하는 사람보다 쉽게 암에 걸린다.

34.

김홍도의 '씨름'은 약 200여 년 전에 그린 그림으로 씨름하는 두 사람을 가운데에 그리고 씨름을 구경하는 사람들을 주변에 그려 안정감이 있으면서도 씨름을 하는 사람에 시선을 집중할 수 있도록 그린 작품이다. 보물 제 527호인 '단원 풍속도첩'에 실린 이 그림은 조선 시대 풍속화를 대표한다고 해도 과언이 아니다. 김홍도는 조선 시대 일반 서민들의 소박하고 꾸밈없는 모습을 사실적으로 생생하게 보여주고 있기 때문에 지금까지도 그의 작품은 높이 평가 받고 있다.

① 김홍도는 당시 사람들의 모습을 사실적으로 그렸다.
② 김홍도의 '씨름'은 안정감이 떨어진다고 평가하기도 한다.
③ 김홍도의 작품은 조선 시대 풍속화를 대표하지 못하게 되었다.
④ 김홍도의 '씨름'을 통해서 당시 서민들의 모습을 찾아보기 어렵다.

※ [35~38] 다음 글의 주제로 가장 알맞은 것을 고르십시오. (각 2점)

35.

지하철에서 분홍색으로 표시된 좌석을 본 적이 있습니까? 바로 임산부를 위한 좌석입니다. 좌석과 바닥에 분홍색으로 표시되어 쉽게 알아볼 수 있습니다. 하지만 잘 지켜지지 않습니다. 임산부가 버젓이 앞에 서 있어도 자리를 비켜주지 않습니다. 일부 시민들은 임산부를 위한 좌석이라는 것조차 모르고 있었습니다. 시민 의식과 홍보 부족으로 임산부만 여전히 고통을 겪고 있습니다.

① 임산부 석은 임산부만 앉을 수 있다.
② 임산부 석이 있지만 잘 지켜지지 않고 있다.
③ 지하철의 임산부 석은 분홍색으로 되어 있다.
④ 임산부 석을 알아볼 수 있도록 개선해야 한다.

36.

교통사고를 유발하는 원인 중에 졸음운전이 차지하는 비율이 낮지 않다. 1~2초 정도 조는 것은 별 것 아니라고 생각 할 수도 있겠지만 몇 초만 졸아도 큰 사고로 이어질 수 있어서 음주운전만큼 아주 위험하다. 이를 방지하기 위해서는 차안의 공기를 환기시키고 커피를 마시거나 껌을 씹는 것이 도움이 된다. 또한 라디오나 음악을 듣는 것도 좋다. 하지만 무엇보다도 운전을 하기 전에 충분한 휴식을 취하는 것이 제일 좋은 방법이다.

① 운전 중에는 자주 공기를 환기시켜야 한다.
② 운전 중에는 몇 초만 졸아도 큰 사고가 날 수 있다.
③ 운전하기 전에 커피를 마시거나 껌을 씹는 것이 도움이 된다.
④ 졸음운전은 아주 위험하므로 사전에 예방하는 것이 중요하다.

37.

유네스코(UNESCO)는 국가 간의 교육이나 과학, 문화 교류를 통해서 세계 평화와 안전에 기여하는 국제기구로 여러 지역에서 다양한 문화유산을 만들어 냈다. 또한 세계 곳곳의 아름다운 자연유산도 많이 있는데 자연 재해나 무분별한 개별로 인해 사라질 위험이 있는 것도 있다. 그래서 유네스코에서는 인류의 소중한 문화 및 자연유산을 지키기 위해서 '세계 문화 및 자연 유산 보호 협약(1972년 11월)'에 따라 세계 각국에서 신청한 문화유산과 자연유산 중 일부를 '유네스코 세계유산'으로 선정해서 보호하고 있다.

① 유네스코에서는 문화유산뿐만 아니라 자연유산도 선정한다.
② 유네스코는 '세계 문화 및 자연 유산 보호 협약'을 체결했다.
③ 유네스코에서는 문화유산 및 자연유산을 지키기 위해서 노력한다.
④ 세계의 자연유산 중 일부는 자연 재해나 개발로 사라지기도 한다.

38.

도박을 하다가 경찰에 붙잡히는 사람들이 매년 증가하고 있다. 스마트 폰의 보급으로 인해 이제는 그 연령대도 점점 낮아져서 10대의 어린 청소년들도 스마트 폰으로 도박을 하다가 경찰에 붙잡히는 사례가 늘었다. 도박은 한 번 시작하면 끊기가 어려운 만큼 시작하지 않는 것이 가장 중요하다. 자신이 도박 중독으로 의심될 경우에는 혼자 해결하려 하지 말고 가족과 즐거운 시간을 보내면서 도박에 대한 생각을 잊어버리거나 병원을 찾아 치료를 받아야 한다.

① 도박은 청소년이 더 빠지기 쉽다.
② 도박은 끊는 것이 무척이나 어렵다.
③ 도박에 중독되면 적절한 치료를 받아야 한다.
④ 매년 도박에 중독되는 사람이 늘어나고 있다.

※ [39~41] 다음 글에서 〈보기〉의 문장이 들어가기에 가장 알맞은 곳을 고르십시오. (각 2점)

39.

(㉠) 조사에 따르면 전 세계에서 한국어를 모국어를 비롯하여 제 1언어로 사용하는 인구가 7730여만 명으로 세계 모든 언어 중에서 14위에 해당한다고 한다. (㉡) 지난해 한국어능력시험(TOPIK)을 신청한 사람의 수가 37만 명이 넘었다는 사실도 이를 증명한다. (㉢) 그렇기 때문에 우리는 한국어의 확산과 올바른 국어사용을 위해서 더 노력해야 할 것이다. (㉣) 특히 불필요한 외래어의 사용을 자제하고 알기 쉬운 우리말로 바꾸어 사용하는 노력이 필요하다.

〈보기〉

또한 K-POP, K-드라마 등의 영향으로 한국어에 대한 관심도 점점 높아졌다.

① ㉠ ② ㉡ ③ ㉢ ④ ㉣

40.

(㉠) 그 이후 보육원에 CCTV를 설치하자는 논의가 아직까지 이어지고 있습니다. (㉡) 아동의 부모 입장에서는 보육원에 CCTV를 설치해서 아이들을 보호하자는 입장이고, 보육원과 정부에서는 교사들의 사생활을 침해할 수 있다는 이유로 CCTV를 설치할 수 없다는 입장입니다. (㉢) 하지만 일부 단체에서는 CCTV의 설치로 싸울 것이 아니라 보육원과 교사를 뽑는 기준을 더 강화해야 한다고 목소리를 높이고 있습니다. (㉣)

〈보기〉

보육원에서 아동 학대 사건이 일어난 지 1년이 지났습니다.

① ㉠　　② ㉡　　③ ㉢　　④ ㉣

41.

(㉠) 항상 시민들의 발이 되어주는 지하철, 하지만 요즘은 잦은 고장으로 인해 시민들이 불편함을 겪고 있습니다. (㉡) 그 중에서 절반 이상은 1~4호선의 지하철에서 난 사고라고 합니다. 그 원인으로는 지하철을 20년이 넘도록 사용하고 있기 때문입니다. (㉢) 이러한 낡은 지하철을 사용하면서 정비도 제대로 하지 않고, 지하철을 교체할 계획조차 없다고 합니다. (㉣)

〈보기〉

통계에 따르면 최근 5년 간, 한 달에 한 번씩 사고나 고장이 났다고 합니다.

① ㉠　　② ㉡　　③ ㉢　　④ ㉣

※ [42~43] 다음을 읽고 물음에 답하십시오. (각 2점)

계속된 폭설로 인해 전국의 모든 선박과 항공기가 결항된 지 벌써 3일째이다. 항공기가 결항되자 일부 운이 좋은 사람들은 근처의 숙소로 이동해서 날씨가 좋아지기를 기다리고 있지만, 나를 비롯한 대부분의 사람들은 숙소를 구하지 못해 공항에서 노숙을 하며 항공기의 운항이 재개되는 것을 기다리고 있다. 결국 바닥에 신문지나 비닐만 깔고 어렵사리 잠을 청하는데, 그 모습은 마치 전쟁터에서나 볼 수 있는 난민과도 같은 모습이었다. 다음날 아침 일찍 나는 설레는 마음을 안고 공항 카운터로 향했지만 <u>오늘도 비행기가 결항이라는 직원의 말 한마디에 나는 그대로 바닥에 털썩 주저앉았다.</u> 오늘도 공항 바닥에서 잠을 자야하는 신세가 됐다.

42. 밑줄 친 부분에 나타난 나의 심정으로 알맞은 것을 고르십시오.

① 기대하다　② 속상하다
③ 쓸쓸하다　④ 부끄럽다

43. 이 글의 내용과 같은 것을 고르십시오.

① 눈이 너무 많이 와서 비행기가 결항됐다.
② 전쟁터의 난민을 만나서 인터뷰를 하고 있다.
③ 이 사람은 돈이 없어서 공항 바닥에서 잠을 잔다.
④ 폭설이 시작되자 급하게 근처의 숙소로 대피했다.

※ [44~45] 다음을 읽고 물음에 답하십시오. (각 2점)

명품이란 아주 품질이 좋거나 유명한 제품을 뜻한다. 하지만 한국에서 명품이라고 하면 특정한 브랜드의 제품을 일컫는 단어가 되어버렸다. 이러한 제품들은 (   ) 때문에 주로 돈이 많은 사람들이 구입한다. 그런데 언제부턴가 평범한 사람들도 명품을 경쟁적으로 구입하기 시작했다. 바로 명품이 사회적 지위를 나타낸다고 생각하기 때문이다. 돈이 없어도 명품을 가지고 있으면 마치 자신이 높은 신분을 가진 사람이 된 듯한 기분을 느끼기 때문이다. 그래서 무리하게 명품을 구입하면서 대리 만족을 느끼는 것인데, 문제는 이것이 대출로 이어진다는 것이다. 대출 업체에서는 이들이 돈을 갚을 능력이 있는지 확인도 하지 않고 쉽게 돈을 빌려주고 있어 명품 구입을 부추기고 있다는 비난을 받고 있다.

44. 위 글의 주제로 가장 알맞은 것을 고르십시오.

① 명품을 구입하기 위해서 무리하게 대출을 하게 되면 비난을 받게 된다.
② 무리하게 명품을 구입할 경우 폐해가 발생할 수 있기 때문에 주의해야 한다.
③ 명품을 가지고 있으면 높은 신분을 가진 사람이 된 것 같은 기분을 느끼게 된다.
④ 돈이 많은 사람들은 고가의 명품을 구입할 수 있어서 사회적으로 높은 지위를 갖는다.

45. (   )에 들어갈 내용으로 가장 알맞은 것을 고르십시오.

① 가격이 아주 비싸기
② 브랜드의 종류가 아주 적기
③ 품질이 아주 좋기로 유명하기
④ 사회적 지위가 높은 사람이 구입하기

※ [46~47] 다음을 읽고 물음에 답하십시오. (각 2점)

대한민국은 다른 나라와는 달리 '단일민족'인 것을 내세우고 자랑스러워한다. (㉠) 이에 한민족이 아닌 다른 민족에 대해 선입견을 가지거나 배척하기도 한다. 예를 들면 외국인 노동자들이다. (㉡) 외국인 노동자들은 한국인보다 돈을 더 적게 받고 일하거나 전혀 받지 못하는 일이 비일비재하다. (㉢) 이에 힘겨운 생활을 버티지 못하고 귀국하는 외국인 노동자들이 갈수록 늘어나고 있다. 이대로 간다면 2025년에 이르러서는 노동력 감소 현상으로 이어져 경제 위기가 올 것으로 예상하고 있다. (㉣) 따라서 정부에서는 먼저 외국인 노동자들을 위한 보호법을 제정하고, 시민들의 의식도 바뀔 수 있도록 노력해야 한다.

46. 위 글에서 〈보기〉의 글이 들어가기에 가장 알맞은 곳을 고르십시오.

〈보기〉

자연스럽게 단순히 외국인이라는 이유만으로 차별 대우를 받는 것이다.

① ㉠ ② ㉡ ③ ㉢ ④ ㉣

47. 이 글의 내용과 같은 것을 고르십시오.

① 2025년에는 일하는 사람이 없어질 것이다.
② 일하는 사람이 감소하면 경제 위기가 올 것이다.
③ 대한민국은 하나의 민족만 존재해서 더 우월하다.
④ 외국인 노동자는 일을 못해서 차별 대우를 받는다.

※ [48~50] 다음을 읽고 물음에 답하십시오. (각 2점)

'어린이보호구역'은 스쿨존(School Zone)이라고도 하는데 초등학교나 유치원의 정문에서 300m 이내의 주요 통학로를 지정해 보호하는 곳을 말한다. 어린이들을 보호하기 위해 2020년 3월부터 어린이보호구역 내 신호등과 과속단속카메라 설치를 반드시 의무화하였다. 또한 어린이보호구역에서 운전자의 부주의로 교통사고가 날 경우 다른 사고보다 강화해서 처벌한다는 내용이 포함된 제도를 만들었다. <u>이 제도가 제대로 실행이 된다면 최소한 어린이보호구역에서의 안타까운 사고는 방지할 수 있을 것으로 보인다.</u> 아이들은 성인에 비해 반응속도도 느리고 인지능력이 떨어지기 때문에 교통사고의 위험에 더 쉽게 노출된다. 어린이들은 체구가 작기 때문에 (　　　) 각별한 주의와 보호가 필요하다. 어린이들을 교통사고로부터 안전하게 보호할 수 있도록 노력해야 할 것이다.

48. 위 글을 쓴 목적으로 알맞은 것을 고르십시오.

① 이 제도의 장점과 단점을 비교 제시하기 위해서
② 이 제도의 시행 내용과 의의를 강조하기 위해서
③ 이 제도의 취지와 운전자의 요구를 설명하기 위해서
④ 이 제도가 시행된 후 생길 수 있는 문제를 지적하기 위해서

49. (　　　)에 들어갈 내용으로 가장 알맞은 것을 고르십시오.

① 좁은 틈으로 들어가서
② 운전자의 시야에 잘 띄지 않아
③ 자동차보다 더 빨리 피할 수 있어
④ 다가오는 사물을 쉽게 인지할 수 있어

50. 밑줄 친 부분에 나타난 필자의 태도로 알맞은 것을 고르십시오.

① 어린이보호구역에서 지켜야할 사항을 강조하고 있다.
② 어린이보후구역에서 사고가 늘어날 것을 우려하고 있다.
③ 어린이보호구역 내 사고가 줄어들 수 있을 것으로 기대하고 있다.
④ 어린이보호구역 내 사고 변화에 대해 부정적인 예상으로 하고 있다.

한국어능력시험 Real TOPIK Ⅱ

Chapter 04

Real TOPIK Ⅱ 4회

듣기 (1번~50번)

쓰기 (51번~54번)

듣기 (1번 ~ 50번)

※ [1~3] 다음을 듣고 알맞은 그림을 고르십시오. (각 2점)

01. ①

②

③

④

02. ①

②

③

④

03. ①

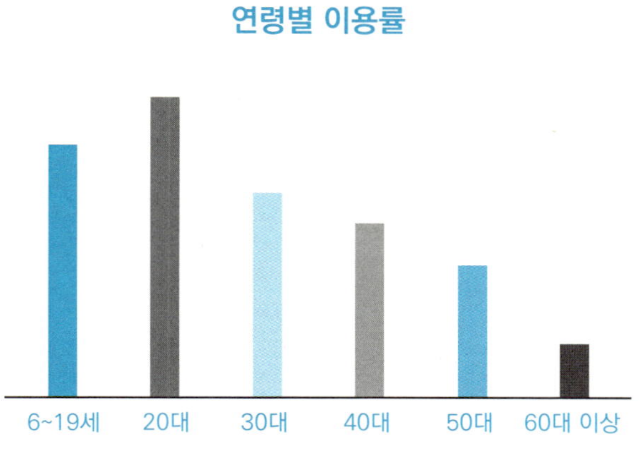

②

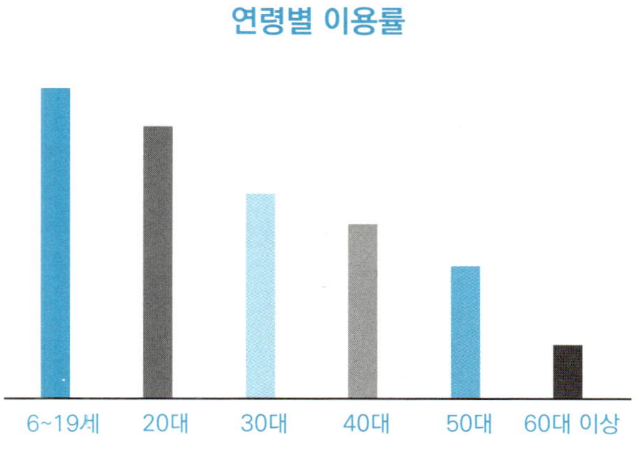

③

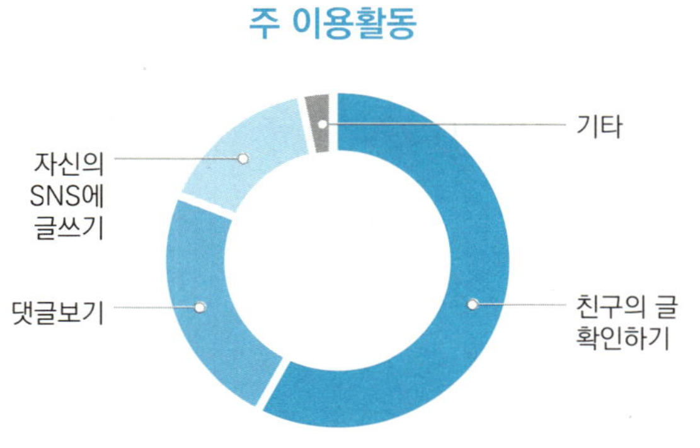

④

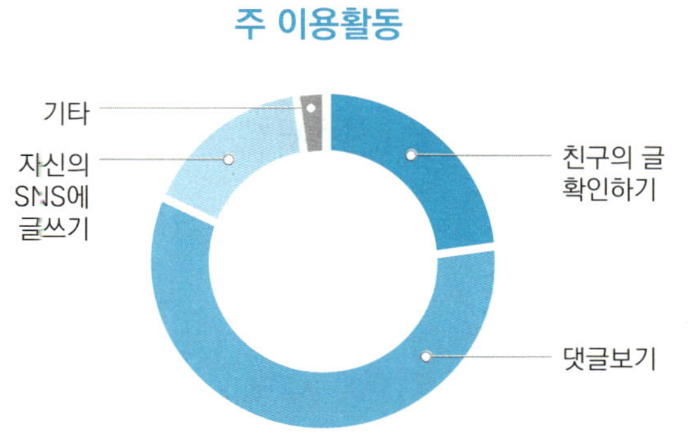

※ [4~8] 다음 대화를 잘 듣고 이어질 수 있는 말을 고르십시오. (각 2점)

04. ① 제가 우산을 갖다 드릴게요.

② 비 오는 날이요? 저도 좋아해요.

③ 비오는 날에는 빨래를 하면 안 돼요.

④ 감기 걸리겠어요. 얼른 옷을 갈아입으세요.

05. ① 좋은 동호회 있으면 소개해 주세요.

② 건강을 위해서 운동은 꼭 해야 해요.

③ 혼자 운동을 하는 것은 재미없잖아요.

④ 동호회는 많은 사람들과 친해질 수 있어요.

06. ① 검정색의 네모난 서류 가방이에요.
② 생일 선물로 받은 소중한 가방이에요.
③ 가방에는 지갑과 핸드폰이 들어 있어요.
④ 지하철에 사람이 너무 많아서 가방을 잃어버렸어요.

07. ① 네, 친구와 같이 살아요.
② 네, 이사는 자주 다녀야 하는 법이에요.
③ 네, 근처에 공원도 있을 뿐만 아니라 학교도 가까워요.
④ 네, 조용하면서도 학교와 가까운 곳으로 이사를 해야겠어요.

08. ① 칠순잔치는 꼭 가려고 했는데 못 갔지요.
② 졸업식에는 다른 친구들이 와서 축하해 줬어요.
③ 가족들만 초대했는데 어머니가 아주 좋아하셨어요.
④ 졸업식까지 끝내고 나니 정말 어른이 된 것 같아요.

※ [9~12] 다음 대화를 잘 듣고 여자가 이어서 할 행동으로 알맞은 것을 고르십시오. (각 2점)

09. ① 요리를 배운다.
② 아침에 일찍 일어난다.
③ 배달 업체에 전화를 한다.
④ 전화번호를 찾아서 알려준다.

10. ① 모자 값을 계산한다.
② 검정색 모자를 포장한다.
③ 동생에게 모자를 선물한다.
④ 다른 물건이 없는지 둘러본다.

11. ① 카드를 찾으러 간다.
② 스트레스를 풀러 간다.
③ 카드 사용 정지를 시킨다.
④ 은행에 재발급을 받으러 간다.

12. ① 가방 사진을 찍는다.
② 필요한 물건과 교환한다.
③ 물건을 살 사람과 연락한다.
④ 중고 가게에 방문해서 가방을 판다.

※ [13~16] 다음을 듣고 내용과 일치하는 것을 고르십시오. (각 2점)

13. ① 여자는 난방비를 절약하기 위해 내복을 입기로 했다.
② 단열 필름을 붙이는 방법은 어려워서 전문가를 불러야 한다.
③ 남자와 여자는 추운 겨울철에 유행하고 있는 내복패션에 긍정적이다.
④ 남자는 단열 필름을 붙인 후에 실내온도를 적정 온도보다 높게 조절할 것이다.

14. ① 매주 목요일에 재활용품을 수거해 간다.
② 재활용품은 모두 묶어서 배출해야 한다.
③ 투명봉투는 주민센터에서 무료로 나눠 주고 있다.
④ 소형 가전제품을 버리는 곳은 분리수거장 옆에 있다.

15. ① 13세 미만의 어린이들은 1,000원에 장비를 대여할 수 있다.
② 스케이트장은 오전 10시부터 오후 10시까지 이용할 수 있다.
③ 개장 기념으로 주말 동안 총 100명이 무료로 입장할 수 있다.
④ 스케이트를 잘 못타는 사람도 무료로 강습을 받고 이용할 수 있다.

16. ① 이 씨는 뇌졸중으로 목숨을 잃었다.
② 김 병장은 많은 사람들로부터 칭찬을 받았다.
③ 이 씨는 김 병장 덕분에 일찍 퇴원할 수 있었다.
④ 김 병장은 휴가를 나왔다가 쓰러진 이 씨를 발견했다.

※ [17~20] 다음을 듣고 여자의 중심 생각을 고르십시오. (각 2점)

17. ① 임산부석은 항상 비워 두는 것이 좋다.
② 지하철에서 임산부에게 양보를 하는 사람이 많다.
③ 임신을 했다는 티가 나면 자리를 양보 받을 수 있다.
④ 임산부석은 핑크색으로 표시해서 임산부석임을 알려야 한다.

18. ① 요즘 외국어를 잘하는 것은 기본이다.
② 영어 학원은 오래 다닐수록 도움이 된다.
③ 외국어 실력보다 자격증이 더 큰 경쟁력이 된다.
④ 영어 학원뿐만 아니라 다른 학원도 다녀야 한다.

19. ① 드라마에는 아역배우가 꼭 나와야 한다.
② 아역배우는 나이가 어리지만 연기를 잘해 인기가 많다.
③ 어렸을 때 경험을 하면 재능을 일찍 발견할 수 있어서 좋다.
④ 한창 학교를 다닐 나이에 배우 생활을 하는 아역배우가 안쓰러워 보인다.

20. ① 막내는 부모님의 사랑과 관심을 더 많이 받곤 한다.
② 가족과 오랫동안 함께 있다 보면 소중함을 잊게 마련이다.
③ 독립을 하려면 생활비도 마련해야 하고 집안일도 잘 해야 한다.
④ 독립은 생각보다 신경 써야 할 것이 많으며 불규칙한 생활을 하게 된다.

※ [21~22] 다음을 듣고 물음에 답하십시오. (각 2점)

21. 남자의 중심 생각으로 맞는 것을 고르십시오.

① 불우 이웃보다 점원들을 위한 행사를 하면 반응이 좋을 것이다.
② 작년 행사는 반응이 좋지 않아 새로운 행사를 하는 게 좋을 것 같다.
③ 고객은 할인을 받아 좋고 점원은 힘을 얻을 수 있어 서로에게 좋은 행사이다.
④ '불우 이웃 돕기'를 하기 위해서 고객들에게 음료 값을 할인해 주는 것이 좋다.

22. 들은 내용으로 맞는 것을 고르십시오.

① 올해에도 '불우 이웃 돕기'행사를 한다.
② 이번 행사명은 '따뜻한 말 한마디'이다.
③ 점원에게 따뜻한 말 한마디를 하면 천원을 할인해 준다.
④ 늘 고객을 위해 노력하는 점원들을 위한 행사를 계획하고 있다.

※ [23~24] 다음을 듣고 물음에 답하십시오. (각 2점)

23. 남자는 무엇을 하고 있는지 맞는 것을 고르십시오.

① 행사를 관리하는 직원을 교육하고 있다.
② 홈페이지 가입 방법에 대해 알아보고 있다.
③ 대회에 참가하기 위해 절차를 문의하고 있다.
④ 자신의 수영 실력이 좋다는 것을 과시하고 있다.

24. 들은 내용으로 맞는 것을 고르십시오.

① 참가비는 신청이 완료된 후 입금하면 된다.
② 대회에 참가하려면 홈페이지에 가입해야 한다.
③ 이메일로 다른 행사에 대한 홍보물도 보내준다.
④ 남자는 수영 대회 이외의 행사에는 관심이 없다.

※ [25~26] 다음을 듣고 물음에 답하십시오. (각 2점)

25. 남자의 중심 생각으로 맞는 것을 고르십시오.

① 목소리 기부를 할 수 있는 기회는 별로 없다.
② 봉사 정신과 책임감 있는 사람은 누구나 할 수 있는 일이다.
③ 돈으로 하는 기부가 아닌 자신의 재능을 기부하는 재능기부가 늘어나고 있다.
④ 이미 많은 사람들이 목소리 기부를 하고 있으므로 나중에 기회가 되면 도전해 보길 바란다.

26. 들은 내용으로 맞는 것을 고르십시오.

① 김민수 아나운서는 목소리 기부로 화제가 되었다.
② 목소리 기부는 아나운서들만 할 수 있는 특별한 일이다.
③ 시각장애인을 위해 책을 녹음하는 일은 많은 돈을 벌 수 있다.
④ 기부는 돈으로 하는 것보다 재능으로 하는 것이 도움이 많이 된다.

※ [27~28] 다음을 듣고 물음에 답하십시오. (각 2점)

27. 남자가 여자에게 말하는 의도를 고르십시오.

① '아름다운 가게'의 홍보를 부탁하기 위해
② '아름다운 가게'의 필요성을 강조하기 위해
③ '아름다운 가게'에 기증할 것을 권유하기 위해
④ '아름다운 가게'에 기증하는 방법을 설명하기 위해

28. 들은 내용으로 맞는 것을 고르십시오.

① 여자는 대청소를 했다.
② 여자는 안 입는 옷을 헌옷수거함에 넣었다.
③ '기부영수증'을 많이 모으면 현금으로 되돌려 받을 수 있다.
④ '아름다운 가게'에서는 어려운 이웃에게 저렴한 가격에 판매한다.

※ [29~30] 다음을 듣고 물음에 답하십시오. (각 2점)

29. 남자는 누구인지 맞는 것을 고르십시오.

① 마라톤 선수 ② 마라톤 감독
③ 마라톤 대회 참가자 ④ 마라톤 대회 우승자

30. 들은 내용으로 맞는 것을 고르십시오.

① 남자의 이름을 딴 대회가 열렸다.
② 숨이 찰 땐 그 순간만 극복하면 된다.
③ 남자는 선수들을 보면 부러울 때가 많다.
④ 좋아하는 일을 오랫동안 하는 것은 어려운 일이다.

※ [31~32] 다음을 듣고 물음에 답하십시오. (각 2점)

31. 남자의 생각으로 맞는 것을 고르십시오.

① 역사 속의 인물을 주인공으로 하는 드라마는 바람직하지 않다.
② 드라마를 보는 모든 사람들이 드라마의 내용을 사실이라고 믿는다.
③ 학생들을 위해 학교에서 배우는 내용으로 드라마를 만들어야 한다.
④ 드라마 제작진은 재미보다 책임의식을 갖고 드라마를 만들어야 한다.

32. 남자의 태도로 맞는 것을 고르십시오.

① 문제를 제기하며 상대방에게 책임을 묻고 있다.
② 상대방의 주장을 지지하며 상황을 분석하고 있다.
③ 상대방을 비판하며 앞으로 일어날 일을 걱정하고 있다.
④ 객관적인 자료를 근거로 들며 자신의 의견을 주장하고 있다.

※ [33~34] 다음을 듣고 물음에 답하십시오. (각 2점)

33. 무엇에 대한 내용인지 맞는 것을 고르십시오.

① 한복을 만드는 방법
② '한복의 날'을 만든 결과
③ 한복의 대중화를 위한 노력
④ 한복을 입으면 받을 수 있는 혜택

34. 들은 내용으로 맞는 것을 고르십시오.

① '한복의 날'에는 모든 사람들이 한복을 입는다.
② 오래된 한복이라고 현대식으로 바꾸는 것은 바람직하지 않다.
③ 최근 여배우는 한복보다 아름다운 드레스를 입어 세계적인 관심을 받았다.
④ 매월 첫째 토요일에 한복을 입으면 공공시설의 입장료를 감면받을 수 있다.

※ [35~36] 다음을 듣고 물음에 답하십시오. (각 2점)

35. 남자는 무엇을 하고 있는지 맞는 것을 고르십시오.

① 웃음의 효과를 설명하고 있다.
② 운동의 중요성을 주장하고 있다.
③ 웃음과 수명의 관계를 분석하고 있다.
④ 수명을 늘리기 위한 방법을 비교하고 있다.

36. 들은 내용으로 맞는 것을 고르십시오.

① 억지로 웃는 것은 효과가 없다.
② 소리 내서 웃으면 수명이 늘어난다.
③ 스트레스를 해소하기 위해 면역력을 강화한다.
④ 10분 동안 웃으면 3분 동안 운동한 효과를 볼 수 있다.

※ [37~38] 다음을 듣고 물음에 답하십시오. (각 2점)

37. 여자의 중심 생각으로 맞는 것을 고르십시오.

① SNS는 재미와 유머가 있어야 한다.
② 경찰은 수사를 할 때 시민의 제보에 의지하고 있다.
③ SNS를 통해 시민과 소통하며 친근하게 다가갈 수 있다.
④ 캠페인 영상은 딱딱한 내용으로 시민들이 잘 보지 않는다.

38. 들은 내용과 일치하는 것을 고르십시오.

① 부산 경찰은 SNS 대상에서 5개의 상을 받았다.
② 부산 경찰의 SNS는 재미없고 일방적인 내용뿐이다.
③ 정지선을 안 지킬 경우 포돌이에게 벌금을 내야 한다.
④ 실종된 치매할머니는 이틀 후 가족에게 돌아갈 수 있었다.

※ [39~40] 다음을 듣고 물음에 답하십시오. (각 2점)

39. 이 대화 앞의 내용으로 알맞은 것을 고르십시오.

① 거북목 증후군으로 인해 건강이 위험해질 수 있다.
② 거북목 증후군의 증상으로 어깨 근육이 뭉치는 것이다.
③ 바른 자세를 유지하면 거북목 증후군을 예방할 수 있다.
④ 쉽게 피로감을 느끼면 거북목 증후군의 원인이 될 수 있다.

40. 들은 내용과 일치하는 것을 고르십시오.

① 거북목 증후군을 방치하면 전신마비가 올 수 있다.
② 컴퓨터 화면의 높이는 눈높이보다 약간 높게 조정한다.
③ 양손으로 어깨를 잡고 크게 돌리면 거북목 예방에 도움이 된다.
④ 컴퓨터를 오랜 시간 사용하는 직장인은 거북목 증후군에 잘 걸리지 않는다.

※ [41~42] 다음을 듣고 물음에 답하십시오. (각 2점)

41. 이 강연의 중심 내용으로 맞는 것을 고르십시오.

① 싱글세는 긍정적으로 평가될 만하다.
② 출산한 부부의 어려움은 출산을 하지 않은 사람들 때문이다.
③ 많은 사람들이 세금을 내지 않기 위해 결혼과 출산을 앞당길 것이다.
④ 싱글세 도입은 긍정적으로 평가되는 추세이지만 부정적인 면도 있다.

42. 들은 내용과 일치하는 것을 고르십시오.

① 싱글세는 결혼을 못한 사람들에게 주는 위로금이다.
② 싱글세는 저출산 문제를 극복하기 위해 검토 중인 제도이다.
③ 교육비, 출산 휴가 등의 문제를 해결하기 위해 많은 인력이 필요하다.
④ 부부가 아이를 키우며 내는 세금으로 결혼을 하지 못한 사람들에게만 혜택을 준다.

※ [43~44] 다음을 듣고 물음에 답하십시오. (각 2점)

43. 이 이야기의 중심 내용으로 맞는 것을 고르십시오.

① 늑대는 자존심을 세울 때 꼬리에 바짝 세운다.
② 늑대의 세계에는 절대 권력이 존재하지 않는다.
③ 수컷들의 사랑을 한 몸에 받기란 어려운 일이다.
④ 무리에서 괴롭힘을 받으면 다시 잘 지내기는 어렵다.

44. 이 늑대가 무리에서 미움을 받는 이유로 맞는 것을 고르십시오.

① 꼬리를 말아 넣어서
② 음모와 배신을 당해서
③ 수컷들의 사랑을 한 몸에 받아서
④ 새끼들을 출산한 후 지키지 못해서

※ [45~46] 다음을 듣고 물음에 답하십시오. (각 2점)

45. 들은 내용과 일치하는 것을 고르십시오.

① 대형할인마트는 주차하기가 힘들다.
② 재래시장은 친절한 서비스를 제공하고 사람 사는 냄새가 난다.
③ 재래시장에 있는 반찬으로 구성된 도시락을 5천원에 판매하고 있다.
④ 대형할인마트의 영업제한으로 사람들이 재래시장을 찾는다고는 할 수 없다.

46. 남자가 말하는 방식으로 가장 알맞은 것을 고르십시오.

① 대형할인마트 영업제한의 당위성에 대해 설명하고 있다.
② 대형할인마트와 재래시장의 문제점을 비교·분석하고 있다.
③ 재래시장을 활성화하기 위해 국민들의 협조를 요청하고 있다.
④ 각 시장의 특징을 고려하여 국민에게 선택권을 줘야한다고 주장하고 있다.

※ [47~48] 다음을 듣고 물음에 답하십시오. (각 2점)

47. 들은 내용과 일치하는 것을 고르십시오.

① 수많은 어플리케이션에서 개인 정보를 수집하고 있다.
② 개인 정보를 수집하는 것은 불법으로 논란이 되고 있다.
③ 백신 프로그램을 설치하면 개인 정보가 유출되지 않는다.
④ 사용자의 동의를 구하지 않고 개인 정보를 수집하는 어플리케이션도 있다.

48. 남자의 태도로 가장 알맞은 것을 고르십시오.

① 스마트폰 전용 백신 프로그램을 홍보하고 있다.
② 어플리케이션을 설치에 대한 우려를 나타내고 있다.
③ 필요 이상의 개인 정보 수집을 막기 위한 방법을 제시하고 있다.
④ 개인 정보를 이용해 제공하는 서비스의 문제점을 진단하고 있다.

※ [49~50] 다음을 듣고 물음에 답하십시오. (각 2점)

49. 들은 내용과 일치하는 것을 고르십시오.

① 집안일을 하는 주부들은 스트레스가 없다.
② 과식, 과음, 흡연으로 스트레스를 받는 사람이 많다.
③ 사랑하는 사람에게 '사랑한다'고 말하면 스트레스가 해소된다.
④ 일기에는 가장 기분 좋았던 일과 내일 할 일에 대해 적으면 좋다.

50. 여자의 태도로 가장 알맞은 것을 고르십시오.

① 스트레스의 원인을 찾고 있다.
② 스트레스 해소법을 제안하고 있다.
③ 스트레스로 인한 문제점을 제기하고 있다.
④ 스트레스를 겪는 현대인을 걱정하고 있다.

쓰기 (51번~54번)

※ [51~52] 다음을 읽고 ㉠와 ㉡에 들어갈 말을 각각 한 문장으로 쓰십시오. (각 10점)

51.

캠핑장 이용안내

- 캠핑장 도착 시 관리실에서 반드시 확인 도장을 받으셔야 합니다.
- 늦은 시간까지 이어지는 술자리, 소음 등은 (㉠).
- 아이들의 안전과 화재에 각별히 주의하여 주시기 바랍니다.
- 퇴실 시 모든 쓰레기를 (㉡).
- 화장실과 샤워장은 깨끗이 사용하여 주시기 바랍니다.
- 숯, 집게, 가위 등 캠핑에 필요한 용품은 매점에서 구매하실 수 있습니다.

52.

소아, 청소년기에 비만이었던 사람은 성인이 되어서도 비만으로 이어질 가능성이 높기 때문에 (㉠). 성장기 아이들은 무작정 굶기 보다는 필요한 영양을 충분히 공급할 수 있는 (㉡). 소아, 청소년 비만은 부모의 식습관이 막대한 영향을 끼치므로 온 가족이 함께 건강한 생활 습관을 길러야 할 것이다.

53. 다음은 '독서를 하는 목적'에 대해 대학교 1학년과, 4학년을 대상으로 실시한 설문 조사입니다. 그래프를 보고 조사 결과를 비교하는 글을 200~300자로 쓰시오. (30점)

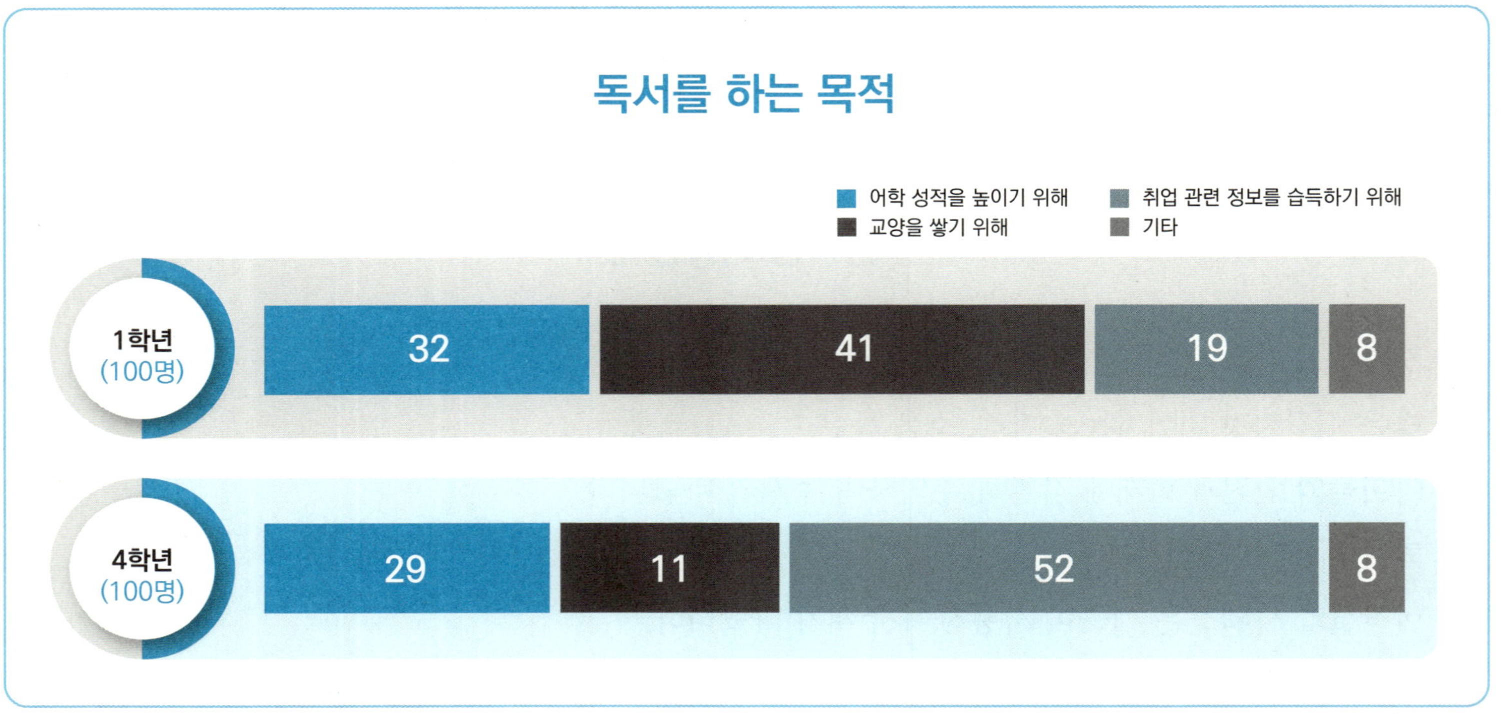

54. 다음을 주제로 하여 자신의 생각을 600~700자로 글을 쓰십시오.

한국은 교육에 대한 관심이 매우 높다. 학력을 중시하는 전반적인 사회의 분위기가 교육열에 많은 영향을 미쳤다고 볼 수 있다. 공교육으로 만족하지 못하는 학생은 사교육으로 보완하는 경우가 많다. 심지어 사교육을 받지 않으면 불안해 할 정도로 많은 학생들이 사교육에 의지하고 있다. 공교육과 사교육의 문제점과 그 문제점을 해결하기 위한 방안에 대해 아래의 내용을 중심으로 자신의 생각을 쓰라.

1) 공교육의 문제에는 어떤 것이 있는가?
2) 사교육의 문제에는 어떤 것이 있는가?
3) 이 문제들을 해결하기 위해 방안은 무엇인가?

* 원고지 쓰기의 예

	한	국		사	람	은		'	우	리	'	라	는		말	을		자	주		쓴	다	.	
이	는		가	족	주	의	에	서		비	롯	되	었	다	.									

한국어능력시험 Real TOPIK Ⅱ

Chapter 04

Real TOPIK Ⅱ 4회

읽기 (1번~50번)

읽기 (1번 – 50번)

※ [1~2] (　　　　)에 들어갈 가장 알맞은 것을 고르십시오. (각 2점)

01. 비가 (　　　　) 갑자기 하늘이 맑아졌다.

① 오려고　　② 오다가
③ 오거나　　④ 오든지

02. 가는 것이 있으면 오는 것이 (　　　　).

① 있기만 하다　　② 있기 일쑤이다
③ 있기 마련이다　　④ 있기 십상이다

※ [3~4] 다음 밑줄 친 부분과 의미가 비슷한 것을 고르십시오. (각 2점)

03. 그는 기한 내에 일을 <u>끝내고자</u> 밤샘 작업을 했다.

① 끝내기 위해서　　② 끝내기 무섭게
③ 끝내는 대신에　　④ 끝내는 반면에

04. 시험에 합격하면 <u>좋으련만</u> 워낙 다들 어려웠다고 해서 합격할 수 있을지 모르겠다.

① 좋은 대로　　② 좋을 만큼
③ 좋을 텐데　　④ 좋을 까봐

※ [5~8] 다음은 무엇에 대한 글인지 고르십시오. (각 2점)

05.

우리 아이의 꿈이 시작되는 곳!
예쁘고 바른 아이로 자랄 수 있도록 잘 보살피겠습니다.

① 병원 ② 학원 ③ 방송국 ④ 유치원

06.

상품과 영수증을 지참하시고 매장으로 방문해 주시기 바랍니다.
영수증 미 지참 시 환불이 불가합니다. 구입 후 한 달 이내까지 가능합니다.
항상 이용해 주셔서 감사합니다.

① 포인트 적립 ② 상품 설명 ③ 환불 방법 ④ 구입 방법

07.

사용하기 전에 생각하세요.
버리기 전에 생각하세요.
깨끗한 지구는 우리의 양심에 달려 있습니다.

① 환경 보호 ② 동물 보호 ③ 잔디 보호 ④ 아동 보호

08.

- 색소가 첨가되어 있지 않아 피부자극 없이 안전합니다.
- 영양공급을 통해 촉촉하고 탄력 있는 피부로 가꿔줍니다.
- 크림타입으로 빠르게 흡수되므로 끈적이지 않습니다.

① 제품 특징 ② 사용 방법 ③ 주의 사항 ④ 구입 문의

※ [9~12] 다음 글 또는 도표의 내용과 같은 것을 고르십시오. (각 2점)

09.

평창 송어 축제

- 일시: 2021년 12월 18일~2022년 2월 14일
- 시간: 09:00~17:00
- 장소: 평창 오대천
- 가격: 성인 13,000원/ 초등학생 10,000원

※보호자를 동반한 미취학아동은 무료입장이 가능합니다.
※애완동물 출입이 불가합니다.
※잡은 송어는 1인당 2마리를 가지고 나올 수 있습니다.

① 축제는 여름 내내 개최된다.
② 애완동물은 무료로 입장이 가능하다.
③ 미성년자는 10,000원의 요금을 내야 한다.
④ 송어를 아무리 많이 잡아도 2마리만 가지고 갈 수 있다.

10.

부모와 자녀의 장래 희망

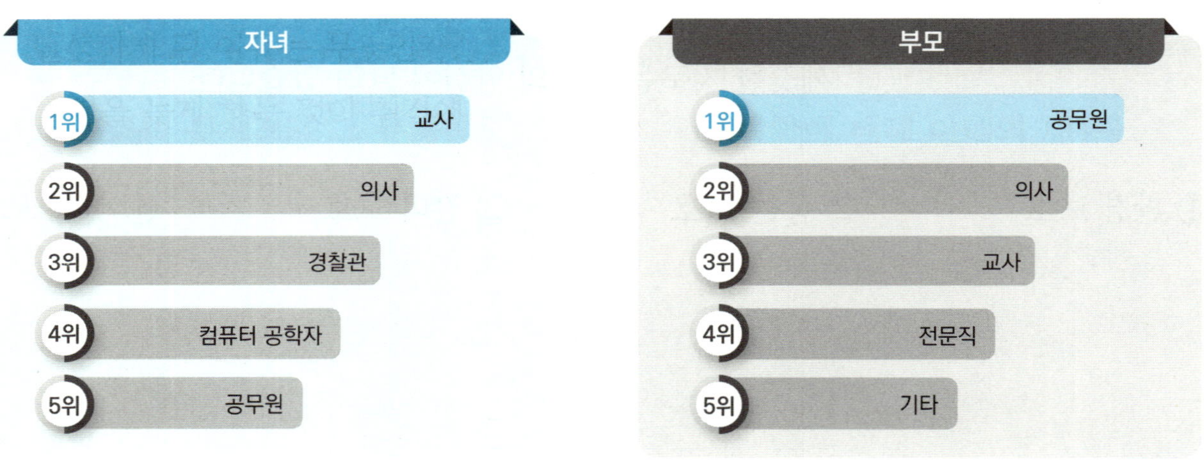

① 부모와 자녀는 의견이 거의 일치한다.
② 부모와 자녀 모두에게 인기가 있는 직업은 의사이다.
③ 자녀는 부모의 뜻에 따라 의사가 가장 되고 싶어 한다.
④ 부모는 안정적인 직업보다 재능을 살리기를 더 원한다.

11.

올해 설 연휴 귀경길에는 8일 오후(27.1%)와 9일 오후(25.8%)로 분산될 것으로 보이며 교통수단은 버스(10.8%)나 철도(3.6%)보다 승용차(84.5%)가 월등히 많을 것으로 예상된다. 또한 부산~서울 6시간 40분, 울산~서울 6시간 50분, 목포~서울 7시간 등 지난해보다 20~40분 더 소요될 전망이다.

① 대부분이 8일 오후에 귀경할 예정이다.
② 부산에서 서울까지 약 6시간 40분이 걸릴 것이다.
③ 자가용보다 대중교통을 이용하는 사람이 더 많을 것이다.
④ 지난해 설 연휴에는 목포에서 서울까지 7시간 20분 정도가 걸렸다.

12.

화재현장으로 긴급 출동하는 소방차나 응급 환자를 병원으로 이송하는 구급차에 길을 양보하지 않을 경우 200만원의 과태료가 부과되는 법안이 다음 달 1일부터 시행된다. 기존에는 소방차나 구급차가 접근할 때 도로 가장자리로 피하거나 일시정지를 하지 않으면 20만원의 과태료가 부과되었다. 앞으로는 기존 과태료의 10배로 상향됨에 따라 많은 운전자들이 더욱 경각심을 가지게 될 것이며 응급 상황을 예방할 수 있는 효과도 나타날 것으로 예상된다.

① 소방차와 구급차의 진로를 방해하더라도 과태료가 부과되지 않는다.
② 과태료가 상향 조정되었지만 운전자들은 경각심을 가지지 않을 것이다.
③ 소방차와 구급차의 진로 방해할 때 부과되는 과태료가 하향 조정되었다.
④ 소방차와 구급차가 접근하면 옆으로 피하거나 그 자리에 정지해야 한다.

※ [13~15] 다음을 순서대로 맞게 배열한 것을 고르십시오. (각 2점)

13.

(가) 그래서 1000원으로 3곡을 부를 수 있는 코인 노래방을 즐겨 찾게 되었다.
(나) 요즘 직장인 박 씨는 '혼자 노래 부르기'가 취미다.
(다) 하지만 일주일에 2~3회 씩 노래방에 가려니 물질적, 육체적으로 다소 버거웠다.
(라) 직장에서 받은 스트레스를 혼자 노래를 부르며 해소하곤 한다.

① (가) - (나) - (다) - (라)
② (나) - (라) - (다) - (가)
③ (다) - (라) - (가) - (나)
④ (라) - (가) - (나) - (다)

14.

(가) 또한 남녀 신체구조의 차이점을 파악하면 더 좋은 치료제가 개발될 수 있다고 덧붙였다.
(나) 여러 국가에서 여성이 남성보다 2배 이상의 비만율을 보인다.
(다) 연구팀은 '식욕과 신체활동을 조절하는 호르몬 때문에 여성이 남성보다 살을 빼기 어렵다'고 밝혔다.
(라) 이에 대해 여성이 남성보다 살빼기 어려운 이유를 과학적으로 뒷받침해줄 연구결과를 발표했다.

① (가) - (라) - (나) - (다)
② (가) - (나) - (라) - (다)
③ (나) - (다) - (라) - (가)
④ (나) - (라) - (다) - (가)

15.

(가) 이와 함께 올무나 덫이 있는지 살피고, 쓰레기 수거 활동도 펼쳤다.
(나) 이날 행사는 계속되는 한파로 야생에서 먹이를 구하지 못하는 동물들을 위해 마련되었다.
(다) 2일 오후 광교산에서 '야생동물 먹이주기' 행사가 있었다.
(라) 먹이는 야생동물들이 쉽게 찾을 수 있도록 인적이 드문 곳곳에 놓아 주었다.

① (다) - (가) - (라) - (나)
② (다) - (가) - (나) - (라)
③ (다) - (나) - (라) - (가)
④ (다) - (나) - (가) - (라)

※ [16~18] 다음을 읽고 (   )에 들어갈 내용으로 가장 알맞은 것을 고르십시오. (각 2점)

16.

신용불량자 발생의 주범으로 '신용카드'가 지목되었다. 신용카드는 현금을 들고 다니지 않아도 되고 큰 금액을 나눠서 낼 수 있다는 장점이 있다. 하지만 현금과 달리 지출이 직접적으로 눈에 보이지 않기 때문에 더 많은 지출을 하게 된다. 따라서 무분별한 지출을 줄이기 위해서 (   ) 직접 계산하는 것이 큰 지출을 막는데 도움이 된다.

① 가능한 한 현금으로
② 다른 사람을 시켜
③ 오랜 기간 할부를 해
④ 할부를 하지 않고 일시불로

17.

칭찬을 하는 방법에는 능력을 칭찬하는 것과 노력을 칭찬하는 것이 있다. 능력을 칭찬할 경우 성공여부를 자신의 능력으로 판단하게 되며 실패할 경우 실패원인을 자신의 능력이 부족하기 때문이라며 자책하게 된다고 한다. 그러나 노력을 칭찬할 경우 성공여부를 자신의 노력 때문이라고 생각하며 실패했을 경우에도 (   ) 더 노력해서 좋은 결과를 얻게 된다고 한다. 그러므로 능력보다는 노력을, 결과보다는 과정을 칭찬하는 것이 효과적인 칭찬의 방법이라고 할 수 있다.

① 칭찬이 부족했다고 생각해
② 노력이 전부가 아니라고 판단해
③ 자신의 노력이 부족했다고 판단해
④ 과정보다는 결과가 중요하다고 생각해

18.

지난 2월 13일에 실시했던 한국항공의 항공권 특가 이벤트가 (   ). 누적 탑승객 3000만 명 돌파를 기념해 제주행 항공권을 9900원에 내놓은 것인데 이는 기존 가격에 비해 90%나 낮은 금액이다. 하지만 접속자가 한 번에 몰리면서 홈페이지가 다운되는 바람에 이벤트가 중단되었다. 한국항공은 서버를 재점검해 이벤트를 다시 진행할 계획이라고 밝혔다.

① 한몫했다
② 세간의 화제였다
③ 문제를 일으켰다
④ 사람들의 비난을 샀다

※ [19~20] 다음 글을 읽고 물음에 답하십시오. (각 2점)

거짓말하는 사람들이 하는 행동으로 어색한 표정과 불안정한 움직임 등을 꼽을 수 있다. 거짓말을 하는 사람들의 가장 대표적인 특징은 '(　　　　)'라고 할 수 있는데, 문제는 이런 특징을 이미 너무 많은 사람들이 알고 있다는 것이다. 거짓말을 하는 사람은 상대방의 시선을 피하려고 한다는 사실을 알고 있기 때문에 상대방이 거짓말을 하고 있다고 여겨지면 오히려 더 눈을 마주친다고 한다. 그래서 그보다는 무의식적으로 하는 행동을 유심히 살펴봐야 한다. 보통 사람들이 거짓말을 할 때에는 하던 동작을 멈추거나 다른 무언가를 이용해 숨기려 하기 때문이다. 요즘 당신의 연인이 거짓말을 하는 것처럼 느껴진다면 연인의 행동을 유심히 살펴라.

19. (　　　　)에 들어갈 알맞은 것을 고르십시오.

① 몸 흔들기
② 어색한 표정 짓기
③ 테이블 아래로 숨기
④ 상대방 시선 피하기

20. 이 글의 내용과 같은 것을 고르십시오.

① 눈을 마주치고 이야기를 하는 사람은 진실일 가능성이 크다.
② 연인이 거짓말을 하는 것처럼 느껴질 땐 눈을 마주치고 이야기를 해야 한다.
③ 말을 하다가 동작을 멈추는 등의 무의식적인 행동은 거짓말을 할 때 나타나는 특징이다.
④ 상대방의 시선을 마주치며 이야기하는 행동은 거짓말을 할 때 나타나는 대표적인 특징이다.

※ [21~22] 다음 글을 읽고 물음에 답하십시오. (각 2점)

새벽 5시부터 출근해 오후 3시까지 거리의 곳곳을 청소하는 환경미화원들의 아름다운 기부가 화제가 되었다. 거리를 청소를 하다보면 10원 짜리부터 100원, 500원 짜리 동전을 심심찮게 발견하는데 (　　　　)이라고 휴게실에 마련된 저금통에 차곡차곡 모아 100만원의 성금을 독거노인들을 위해 기부했다고 밝혔다. 또한 사람들은 큰돈으로만 다른 사람을 도울 수 있다고 생각하는데 돈의 액수보다 다른 사람을 향한 사랑의 마음이 가장 중요하다고 덧붙였다.

21. (　　　　)에 들어갈 알맞은 고르십시오.

① 그림의 떡
② 엎질러진 물
③ 내 코가 석 자
④ 티끌 모아 태산

22. 이 글의 중심 생각을 고르십시오.

① 누군가를 돕고 싶다면 큰돈이 있어야 한다.
② 거리에 동전을 떨어뜨리지 않도록 조심해야 한다.
③ 큰돈을 모으려면 동전을 소중하게 생각하는 마음이 필요하다.
④ 다른 사람을 사랑하는 마음이 있다면 돈의 액수와 상관없이 도울 수 있다.

※ [23~24] 다음 글을 읽고 물음에 답하십시오. (각 2점)

이번 설 연휴에는 고향에 내려가지 않고 친구와 배낭여행을 떠나기로 했다. 부모님에게는 취업하기 전 마음을 잡기 위해서라고 했지만 사실은 가족들과 친척들의 취업과 결혼에 대한 압박에서 벗어나고 싶었다. '취업은 했니?', '결혼은 언제 하니?' 등 그동안 언니를 향하던 잔소리가 언니의 결혼과 함께 모든 잔소리가 나를 향하게 된 것이다. 작년 추석에 호되게 당해 이번에는 아예 고향에 가지 않기 위해 꼼수를 썼다. 예전에는 그저 부모님을 오랜만에 볼 수 있어 설레는 마음이 컸는데 시간이 갈수록 명절은 부담으로 다가오는 것 같다. 다음 명절에는 또 어떤 꼼수를 부려야 할지 벌써부터 고민이 된다.

23. 밑줄 친 부분에 나타난 나의 심정으로 알맞은 것을 고르십시오.

① 섭섭하다
② 후련하다
③ 부담스럽다
④ 당황스럽다

24. 이 글의 내용과 같은 것을 고르십시오.

① 이번 명절에는 고향에 가지 않고 여행을 갈 예정이다.
② 명절은 오랜만에 가족들을 볼 수 있는 기회여서 늘 설렌다.
③ 작년 추석에 고향에서 부모님과 친척들과 즐거운 시간을 보냈다.
④ 친척들은 아직도 결혼한 언니에게 취업과 결혼에 관련된 잔소리를 한다.

※ [25~27] 다음 신문 기사의 제목을 가장 잘 설명한 것을 고르십시오. (각 2점)

25.

입춘 맞아 기온 오르고 '포근'…수도권에 눈·비

① 입춘을 맞아 기온이 오르고 전국에는 눈과 비가 올 것이다.
② 입춘을 맞아 추워지고 수도권에 내리던 비가 눈으로 바뀔 것이다.
③ 입춘을 맞아 대체로 포근하지만 수도권에는 눈이나 비가 올 것이다.
④ 입춘을 맞아 포근하겠으며 수도권에 내리던 눈이나 비는 그칠 것이다.

26.

버스전용차로 위반한 채 질주…잡고 보니 '수배자'

① 버스전용차로를 달리는 위반 차량을 잡았는데 수배자였다.
② 버스전용차로를 질주하는 차량은 수배자를 잡는 차량이었다.
③ 버스전용차로를 위반하고 달리는 사람은 모두 수배자가 된다.
④ 버스전용차로를 위반하며 달린 이유는 수배자를 잡기 위해서였다.

27.

수원서 음주운전 하던 20대, 창고 들이받아

① 수원에서 20대가 창고에서 음주를 한 뒤 운전을 했다.
② 수원에서 20대가 음주운전을 하다가 창고를 들이받았다.
③ 수원에서 20대가 미숙한 운전 실력으로 창고를 들이받았다.
④ 수원에서 20대가 창고를 들이받고 속상해서 술을 마시러 갔다.

※ [28~31] 다음을 읽고 (   )에 들어갈 내용으로 가장 알맞은 것을 고르십시오. (각 2점)

28.

(   ) 건강 습관이 주목받고 있다. 우선 잠을 잘 자야 하는데 많이 자는 것이 중요한 것이 아니라 잘 자야 한다. 그러기 위해서는 수면 시간을 정해 규칙적으로 자는 것이 좋다. 또한 가벼운 운동을 주 3회 이상 꾸준히 해야 한다. 걷기, 자전거 타기, 수영 등의 운동은 신체건강뿐만 아니라 정신건강에도 좋다. 마지막으로 하루 최소 8회 손을 씻는 것이다. 손만 제대로 씻어도 감기는 물론 감염 질환의 60%는 예방할 수 있다고 한다. 손바닥뿐 아니라 손등과 손목도 씻어야 하며 반지를 낀 사람은 반지를 빼고 손가락 사이까지 깨끗이 씻도록 해야 한다.

① 비싸지만 효과가 상당한
② 병에 절대로 걸리지 않는
③ 건강검진을 받기 전에 하는
④ 일상생활에서 지킬 수 있는

29.

웹툰이 대중문화의 새로운 아이콘으로 급부상하고 있다. 웹툰은 인터넷의 특성과 만화의 특성이 결합해 새로운 양식으로 탄생된 창의적인 장르로 짧은 시간 간편하게 문화생활을 즐길 수 있으며 대중의 공감을 끌어내는 매력으로 인기를 끌고 있다. (   ) 적은 분량의 스토리가 이어지는 드라마 형식의 웹툰은 많은 사람들을 '웹툰 중독'에 빠지게 만들었다. 또한 오늘날 현대인들이 공감할 만한 소재를 다루는데 최근 드라마로 리메이크된 직장인의 일상을 그린 '미생'이 대표적이라 할 수 있다. 웹툰은 통신 속도의 증대와 현대인들이 스마트 기기에 의존하는 트렌드가 반영된 자연스러운 현상으로 볼 수 있다.

① 옛 추억을 느낄 수 있는
② 현대인이 공감할 수 있는
③ 출·퇴근 시간을 활용할 수 있는
④ 작가의 의도를 정확하게 파악할 수 있는

30.

최근 1인 가구가 늘어나면서 집에서 간단하게 조리해 먹는 간편 요리 제품이 인기를 끌고 있다. 혼자 음식점에 가는 대신 간편 요리를 구입해 음식점 못지않은 요리로 끼니를 대신한다. 혼자 사는 사람이 요리를 직접 하면 남아서 버리는 경우도 있고 시간도 많이 걸리는데 간편 요리는 (   ) 자주 이용하게 된다고 한다. 설명서에 나온 대로 조리하면 요리를 못하는 사람도 10분도 안 걸려 그럴싸한 요리를 만들어 낼 수 있게 된다. 또한 간편 요리의 인기가 높아지면서 맛뿐만 아니라 건강을 강조한 제품도 많아지고 있다.

① 건강에는 좋지 않아서
② 사람들에게 인기가 많아서
③ 조리시간도 짧고 맛도 좋아서
④ 오래 걸리지만 방법이 쉬워서

31.

오랜 시간 대기하면서까지 아이를 영어 유치원에 보내고자 하는 부모들이 많은데 오히려 영어 유치원 교사는 절대 보내지 말라고 이야기 한다. 부모들은 영어 유치원에서 원어민 교사와 수업을 하면 '실용 영어'를 접할 수 있을 거라는 막연한 기대를 하게 되는데 이것은 부모들의 생각 그대로 막연한 기대일 뿐이다. 문법이나 상황에 대해 아이들이 배우는 표현은 아주 제한적이고 한국말로 해야 할 것이 분명한데도 영어로 우물쭈물하다 보면 (   ). 교사가 수업시간 내내 아무리 유창하게 영어로 수업을 한들 알아듣는 아이들은 몇 없고 알아들으려고 노력하는 학생조차 몇 명 없다는 것을 부모들이 꼭 알아야 한다.

① 이도 저도 되지 않는다
② 아이들이 자신감을 잃는다
③ 한국어마저도 잊어버리게 된다
④ 자신도 모르게 영어 실력이 늘게 된다

※ [32~34] 다음을 읽고 내용이 같은 것을 고르십시오. (각 2점)

32.

서울 근교로 가족나들이를 계획 중이라면 '한국 민속촌'을 추천한다. 민속촌에는 실제 조상들이 살던 집과 마을 풍경이 고스란히 남아있다. 으리으리한 기와집에는 하인들이 머무는 문간방, 남자 주인이 머물던 사랑채, 여자 주인이 생활하던 안채 등이 아기자기하게 꾸며져 있다. 매주 일요일에는 쌀점, 띠별 운세, 손금보기 등 '재미로 보는 운세'도 경험해 볼 수 있다. 또한 다양한 전통 공연도 볼 수 있다. 민족의 얼과 흥을 느낄 수 있는 '농악놀이', 아슬아슬한 기예와 재담이 어우러지는 '줄타기', 말 위에서 되살아나는 '마상무예' 공연이 매주 토요일과 일요일마다 오전, 오후 두 차례 펼쳐진다.

① 한국 민속촌은 서울에서 멀지만 추천할 만하다.
② 주말 오전과 오후에는 다양한 전통 공연이 펼쳐진다.
③ 민속촌에는 옛날 사람들이 살던 모습을 인위적으로 꾸며 놓았다.
④ 쌀점이나, 띠별 운세, 손금보기 등 '재미로 보는 운세'를 언제나 경험할 수 있다.

33.

서울의 마지막 달동네라고 불리며 재개발 논란이 일고 있는 성북동 '북정마을'에 젊은 예술가들이 모여들며 새바람을 일으키고 있다. 젊은 디자이너, 연극인, 건축가 등 예술가들이 경치가 좋고 조용한 곳에서 작업하기 위해서 허름한 집을 개조해 작업실, 카페, 스튜디오 등으로 활용하기 시작한 것이다. 이런 예술가들 덕분에 인근 주택 거래가 활발해졌고 마을 길가를 중심으로 집값도 많이 올랐다고 한다. 주민들은 '이렇게 정겹고 살기 좋은 동네가 서울에 또 있겠냐'며 입을 모을 만큼 북정마을이 서울의 옛 모습을 그대로 간직한 채 현대와 어우러지고 있다.

① 성북동 '북정마을'은 서울의 옛 모습과 현대가 공존하는 곳이다.
② 성북동 '북정마을'은 옛날부터 예술가들이 많이 살기로 유명했다.
③ 성북동 '북정마을'은 경치가 좋고 조용해서 집값이 많이 오르고 있다.
④ 성북동 '북정마을'의 허름한 집은 작업실, 카페, 스튜디오로 사용하기에 적합하다.

34.

드라마 '장영실'이 안방극장에 부모와 자녀, 온가족이 함께 보는 사극 바람을 일으키고 있다. 재미와 감동은 물론 역사적 지식과 교훈까지 더해져 폭넓은 연령대의 시청자들에게 사랑을 받고 있다. 교육을 위해 자녀와 함께 본다는 부모들도 많으며 쉽게 이해할 수 있고 호기심을 끌만한 소재를 다뤄 어린 연령층까지 사로잡았다. 어린 연령층의 눈높이에 맞는 특수 효과를 활용해 드라마의 이해를 돕고 '장영실'에 나오는 위인들의 발명품에 친절한 설명을 덧붙여 교육 자료의 역할도 톡톡히 해내고 있다.

① 재미가 있는 드라마는 아니지만 교육 자료로 아주 훌륭하다.
② 드라마 '장영실'은 다양한 연령대의 시청자에게 인기가 있다.
③ 장영실은 역사 속의 중요한 인물이라 부모들이 자녀에게 꼭 보길 강요한다.
④ 어린 연령층에 맞춘 특수 효과 때문에 어른들이 보기에는 유치한 감이 있다.

※ [35~38] 다음 글의 주제로 가장 알맞은 것을 고르십시오. (각 2점)

35.

산업혁명이 세계 산업구조에 상당한 변화를 가져올 것으로 전망되지만 고용시장에는 비극을 초래할 것이라는 전망이 제기되었다. 인터넷이나 인공지능 같은 최신 기술을 이용한 제조업에 변화를 가져와 컴퓨터 분야, 건축 분야의 일자리가 증가할 것으로 보인다. 반면 사무·행정 분야, 제조업 분야는 효율적 생산, 로봇 등이 노동을 대체하면서 일자리가 상당수 줄어들 것으로 전망했다.

① 산업혁명으로 인해 일자리의 양극화가 심해질 것으로 보인다.
② 산업구조가 변화하면 인터넷과 인공지능이 더욱 발전할 수 있다.
③ 효율적 생산, 로봇 등으로 우리의 생활은 지금보다 더 편리해질 것이다.
④ 최신 기술의 발달로 관련 분야의 일자리가 창출되어 취업난이 해결 될 것이다.

36.

케이블채널의 일반인을 대상으로 하는 오디션 프로그램의 참가자가 자신의 모습을 악의적으로 편집한 방송에 대해 사실을 왜곡했다고 밝혀 논란이 되고 있다. 이 참가자는 프로그램에서 자극적인 내용들만 앞뒤로 짜깁기해 그럴듯한 스토리를 만들고 시청자들의 비난을 받게 했다는 것이다. 일명 '악마의 편집'이라 불리며 논란의 대상이 되면 이는 방송 초반에 시청자들의 흥미를 끌어올릴 수는 있지만 나중에는 프로그램의 내용보다 논란이 더 이슈가 되면서 방송 취지와 다른 방향으로 흘러갈 가능성이 많다. 이런 문제를 해결하기 위해 제작진은 흥미와 시청률만 신경을 쓸 것이 아니라 일반인 참가자에 대한 존중과 배려도 잊어서는 안 된다.

① 방송 제작 환경이 개선되어야 한다.
② 새로운 형식의 프로그램을 개발해야 한다.
③ 시청자의 요구를 받아들이는 자세가 필요하다.
④ 일반인 참가자를 고려하는 방송 제작이 요구된다.

37.

모바일 메신저 대화가 전화로 주고받는 대화보다 더 익숙해진 요즘, 글 보다는 이모티콘을 통해 감정을 표시하곤 한다. 이모티콘을 사용하면 직접 만나서 대화를 나누는 느낌이 들기도 하고 글로 표현할 수 없는 감정을 담을 수 있다는 이점도 있다. 부모님들도 사용하기 쉬운 이모티콘은 신조어나 줄임말을 사용할 때와는 다르게 소통의 문제도 발생하지 않아 자연스럽게 대화시간도 늘어난다고 한다. 이제 이모티콘은 우리에게 없어서는 안 될 또 하나의 언어로 자리매김 했다고 볼 수 있다.

① 요즘은 전화보다 메신저로 대화를 나누는 것이 일반적이다.
② 이모티콘이 없으면 대화를 나누는 데 어려움이 생길 것이다.
③ 신조어나 줄임말보다는 이모티콘을 사용하는 것이 부모님과 소통하기 편리하다.
④ 이모티콘은 글로 표현할 수 없는 감정을 표현하는 또 하나의 언어로 자리 잡았다.

38.

자신이 좋아하는 연예인의 생일이나 콘서트 등을 기념해 봉사활동을 하고 기부하는 팬클럽들이 눈길을 끌고 있다. 한 유명 가수의 팬클럽은 자신의 가수가 신인상을 받게 되자 그 기쁨을 나누기 위해 기부를 결정했다고 한다. 5,000여 명의 회원들이 조금씩 힘을 모아 3,000여만 원의 성금을 소외된 이웃에게 전달했다. 자신의 스타에게 긍정적인 이미지를 심어주기 위한 방법으로 어려운 이웃에게 사랑을 나누기 시작한 것인데 이는 박수를 받아 마땅하다. 올바른 팬덤 문화를 지향하며 자신이 사랑하는 스타의 이름으로 이웃 사랑을 실천하면서 스타의 가치는 더욱 높아지게 된다.

① 5,000여 명의 회원이 모은 3,000여만 원의 성금은 매우 큰 액수이다.
② 이웃에게 사랑을 나누며 스타의 가치를 높이는 팬덤 문화는 박수 받을 만하다.
③ 자신이 좋아하는 연예인이 유명할수록 팬클럽의 봉사활등과 기부는 활발해진다.
④ 대부분의 팬덤 문화가 올바른 방향으로 바뀌어 가고 있지만 그렇지 않은 팬클럽도 많다.

※ [39~41] 다음 글에서 〈보기〉의 문장이 들어가기에 가장 알맞은 곳을 고르십시오. (각 2점)

39.

감귤을 물로 씻은 뒤 가로로 2등분 해 즙을 짜고 씨를 골라낸다. (㉠) 껍질은 3㎜ 정도의 두께로 채 썰어 데친 다음 5시간 정도 물에 담가 쓴맛을 뺀다. (㉡) 껍질 안에 있는 흰 부분도 채 썰어 20분간 끓인 다음 2시간 정도 찬물에 담가 쓴맛을 뺀다. (㉢) 감귤 즙을 먼저 끓이다가 껍질을 넣고 부드러워지면 껍질 안에 있는 흰 부분을 넣고 다시 설탕을 여러 번 나눠 넣으면서 40분 정도 끓이면 감귤 잼이 완성된다. (㉣)

〈보기〉

샌드위치를 만들 때 식빵에 발라먹어도 좋다.

① ㉠ ② ㉡ ③ ㉢ ④ ㉣

40.

(㉠) 수업 방법은 학생 참여 및 활동 중심의 수업을 강화하고 학습 효과를 높일 수 있는 학생 중심의 다양한 수업을 실시한다. (㉡) 자유학기제는 학생들에게는 스스로 꿈과 목표를 찾도록 하고 학부모에게는 아이가 다양한 경험을 하면서 성장해 가는 모습을 통해 학교를 신뢰할 수 있게 한다. (㉢) 또한 교사들에게는 교사로서 전문성을 키울 수 있어 모두가 만족할 수 있다. (㉣)

〈보기〉

자유학기제는 한 학기 동안 학생들이 시험부담에서 벗어나 스스로 꿈과 끼를 찾을 수 있게 다양한 체험활동을 하도록 만든 제도이다.

① ㉠　② ㉡　③ ㉢　④ ㉣

41.

하루에 세 번, 식후 30분에 약을 챙겨 먹는 것은 여간 어려운 게 아니다. (㉠) 하지만 매일 약을 챙겨 먹어야 하는 환자는 약을 제때 챙기지 않으면 병이 재발하거나 악화되기도 한다.

(㉡) 이 약은 월1회의 복용만으로 한 달간 효과가 지속되어 병의 재발을 줄이고 입원 기간도 줄일 수 있게 된다. (㉢) 그러나 비용이 비싼 것이 흠이다. (㉣)

〈보기〉

이런 문제를 해결하기 위해 효과가 오래 지속되는 약이 개발되었다.

① ㉠　② ㉡　③ ㉢　④ ㉣

※ [42~43] 다음 글을 읽고 물음에 답하십시오. (각 2점)

김 감독은 독립영화가 상업영화에 비하면 촬영부터 개봉까지 매우 힘들지만 작가와 감독의 묘한 상상력을 들여다볼 수 있는 매력이 있다고 말한다. 또한 천편일률적인 상업영화와는 다르게 보는 사람에 따라 받아들이는 것도 다 다를 수 있고 이런 영화도 있어야 인생의 다양한 맛을 느낄 수 있지 않겠냐며 너스레를 떨었다. 이번 달 개봉을 앞둔 '꿈'은 교양PD를 꿈꾸는 청년의 이야기를 다뤘다. 김 감독은 "한 해 수백 편의 독립영화가 만들어지고 있는 어려운 현실에 굴복하지 않고 관객들을 위해 영화선택권을 비롯한 다양성을 지킬 수 있게 되어 기쁘다"며 이에 덧붙여 4년 전부터 열심히 준비해온 '꿈'을 펼쳐낸 것에 대해 "<u>밀린 숙제를 끝낸 기분</u>"이라고 표현했다.

42. 밑줄 친 부분에 나타난 김 감독의 심정으로 알맞은 것을 고르십시오.

① 속이 시원하다　　② 감회가 새롭다
③ 기대가 남다르다　　④ 가슴이 먹먹하다

43. 이 글의 내용과 같은 것을 고르십시오.

① 김 감독이 제작한 영화 '꿈'은 흥행에 성공 했다.
② 독립영화는 상업영화보다 제작환경이 좋지 않다.
③ 김 감독은 관객이 독립영화만 많이 보기를 바란다.
④ 독립영화는 작가와 감독의 성향이 잘 드러나지 않는다.

※ [44~45] 다음을 읽고 물음에 답하십시오. (각 2점)

한국인의 '빨리빨리' 문화는 세계적으로 유명해져 대한민국의 대표적인 이미지로 자리 잡았다. '빨리빨리'의 힘으로 사회가 발전했고 무엇이든 다 빠른 요즘 시대에 발맞추기 위해서는 꼭 필요한 자세라며 대체로 당연시하고 길들여져 있다. 반면 '빨리빨리'에 따라 오는 게 '대충대충'이라며 부정적인 시선을 보내는 사람들도 있다. 제한되어 있는 시간 안에 결과물을 내기 위해 과정을 중시하지 않고 그저 빨리 일을 끝내려고만 한다는 것이다. 과거 30분 안에 음식이 배달되지 않으면 음식을 무료로 제공하기도 했던 배달 서비스는 '빨리빨리' 문화가 극단적으로 발전한 부정적인 현상이라고 볼 수 있다. 한국인들은 (   ) '빨리빨리'에 길들여져 왔다. 하지만 때로는 주위를 둘러보며 천천히 걷거나 멈춰서는 여유도 분명히 필요하다. '빨리빨리' 문화로 세계 12위의 경제 강국이 된 만큼 이제는 여유로운 삶도 즐길 줄 아는 대한민국이 되길 바란다.

44. 이 글의 주제로 알맞은 것을 고르십시오.

① '빨리빨리'문화도 좋지만 여유로운 삶도 즐길 줄 알아야 한다.
② '빨리빨리'문화는 외국인들이 부정적으로 보는 한국인의 이미지이다.
③ '여유로운 삶을 즐기는 한국인'으로 대표 이미지를 바꿀 필요가 있다.
④ 사회가 발전하고 경제 성장을 이루기 위해서는 '빨리빨리'문화가 꼭 필요하다.

45. (   )에 들어갈 내용으로 가장 알맞은 것을 고르십시오.

① '대충대충'하는 것을 싫어해서
② 끊임없이 발전하고 경쟁하기 위해
③ 요즘 시대에는 뭐든 다 빨리 변해서
④ '빨리빨리'를 대표 이미지로 만들기 위해

※ [46~47] 다음을 읽고 물음에 답하십시오. (각 2점)

월드컵처럼 여러 경기를 연달아 뛰어야 하는 축구 선수들은 체력 회복이 최대의 관건으로 받아들여진다. (㉠) 한 경기당 11km~13km를 뛰어 극심한 칼로리가 소모되고 체력이 저하되지만 다음 경기를 위해 갖가지 방법을 동원해 체력 회복에 힘써야 한다. (㉡) 이외에도 기본적으로 근육의 이완과 관절의 유연성 복귀를 위해 스트레칭과 정리운동을 하게 된다. (㉢) 경기 후 가급적 빠른 시간 내에 체력을 회복하는 것은 기술과 작전보다 매우 중요하며 성패를 판가름 하는 중요한 역할을 한다. (㉣) 그러므로 선수는 경기 후 자신의 체력을 회복하는데 힘써 베스트 컨디션을 유지할 수 있도록 최선을 다해야 한다.

46. 다음 문장이 들어가기에 가장 알맞은 곳을 고르십시오.

경기 후 30분 이내에 물과 과일을 섭취하고 아울러 고 탄수화물 위주의 식단에 적당한 비타민을 섭취하는 것이 좋다.

① ㉠ ② ㉡ ③ ㉢ ④ ㉣

47. 이 글의 내용과 같은 것을 고르십시오.

① 경기 후에는 음식물을 섭취하지 않는 것이 도움이 된다.

② 경기에서 11km를 뛰는 것은 선수에게 아무 것도 아니다.

③ 체력도 중요하지만 기술과 작전이 좋아야 경기에서 이길 수 있다.

④ 선수에게 경기 후 체력을 회복하는 것은 다른 무엇보다도 중요하다.

※ [48~50] 다음을 읽고 물음에 답하십시오. (각 2점)

예정일보다 일찍 아기가 나오려고 하는 바람에 119에 전화를 해 병원에 도움을 요청했다. 하지만 출근시간과 겹쳐 도로에는 차량으로 가득했다. 설상가상으로 아내는 금방이라도 아기가 나올 것처럼 계속 소리를 지르며 아파했고 나는 아무런 도움을 줄 수 없어 너무 마음이 아팠다. 그런데 구급차 사이렌 소리가 울려 퍼지자 차량들이 좌우로 비켜서기 시작했다. 덕분에 신속하게 병원에 도착할 수 있었고 아내와 아기 모두 무사할 수 있었다. 당시 경황이 없어 구급대원들에게 감사의 인사도 못한 것이 마음에 걸려 한 달 후 소방서를 다시 찾았다. 구급대원들은 "요즘 시민의식이 많이 성숙되었다고는 하지만 그렇게 빠른 속도로 길을 터주는 장면은 흔치 않아서 기억에 남는다."고 했다. 간혹 뉴스에서 큰 대회가 열린 장소에는 쓰레기만 남는다며 성숙되지 않은 시민의식을 꼬집는 기사를 접하곤 한다. '나 하나쯤은 괜찮겠지'라는 (   ) 생각 때문에 시민의식까지 낮아지고 있는 것은 아닐까. <u>내 가족이 피해를 볼 수도 있다는 생각으로 조금 더 성숙된 시민의식이 필요할 것 같다.</u>

48. 필자가 이 글을 쓴 목적을 고르십시오.

① 성숙된 시민의식의 필요성을 주장하기 위해
② 구급대원의 근무 환경 개선을 촉구하기 위해
③ 임산부의 응급상황 시 대처 방법을 설명하기 위해
④ 응급상황에도 자신들만 생각하는 사람들을 고발하기 위해

49. (   )에 들어갈 내용으로 알맞은 것을 고르십시오.

① 중립적인　　② 독창적인
③ 자율적인　　④ 이기적인

50. 밑줄 친 부분에 나타난 필자의 태도로 알맞은 것을 고르십시오.

① 구급대원들이 겪는 어려움에 대해 공감하고 있다.
② 내 가족에게 응급상황이 생길까 봐 두려워하고 있다.
③ 낮아지고 있는 시민의식으로 발생할 문제점을 염려하고 있다.
④ 도와주지 않는 시민들로 인해 피해를 입은 사람들을 동정하고 있다.

한국어능력시험 Real TOPIK Ⅱ

Chapter 05

Real TOPIK Ⅱ 5회

- 듣기 (1번~50번)
- 쓰기 (51번~54번)

듣기 (1번 ~ 50번)

※ [1~3] 다음을 듣고 알맞은 그림을 고르십시오. (각 2점)

01. ①

②

③

④

02. ①

②

③

④

03. ①

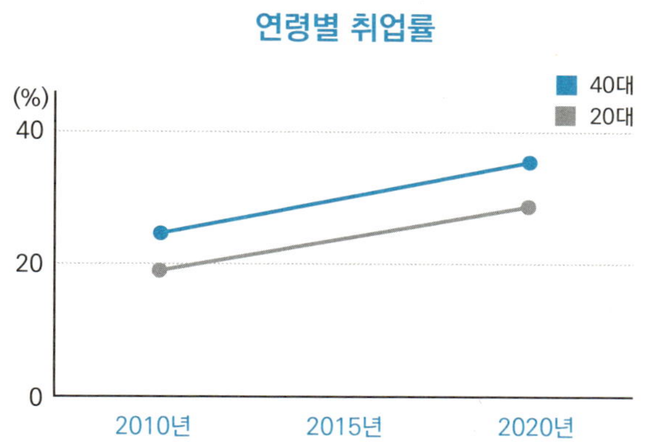

②

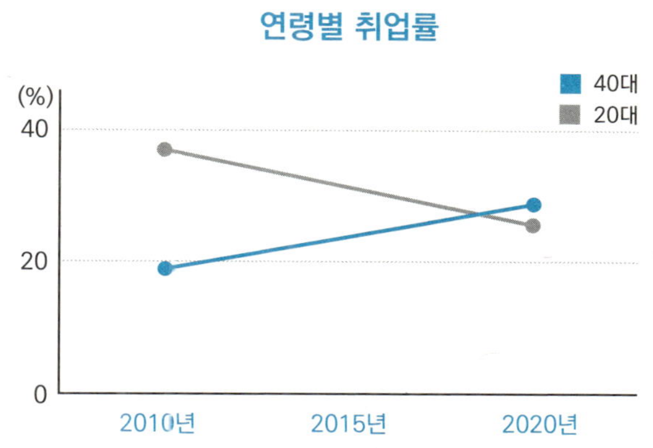

③

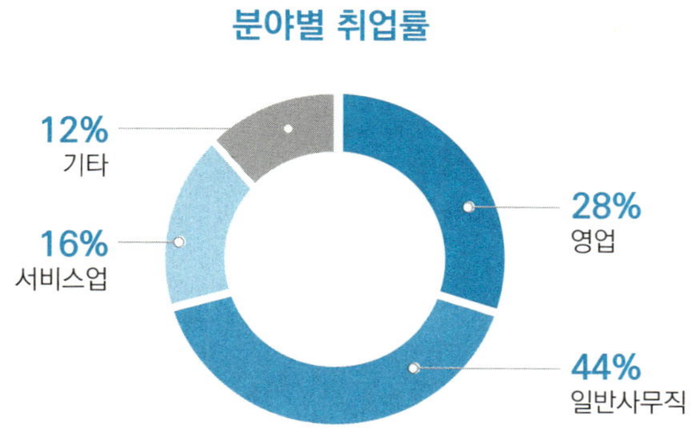

④

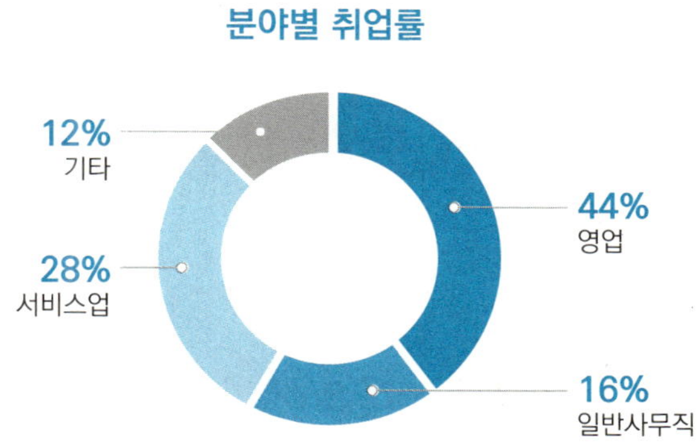

※ [4~8] 다음 대화를 잘 듣고 이어질 수 있는 말을 고르십시오. (각 2점)

04. ① 잠깐이면 돼요.
② 네모난 모양에 빨간색이에요.
③ 지하철에서 다시 찾아봅시다.
④ 너무 비싸니까 다른 것을 보여 주세요.

05. ① 어디 여행을 다녀오셨군요.
② 부모님이 오셔서 좋으시겠어요.
③ 부모님께서 못 오신다니 실망했겠어요.
④ 그렇군요. 부모님께 자주 연락드리세요.

06. ① 아침 식사야말로 꼭 챙겨 먹는 편이에요.
② 아침 식사를 못 먹을 줄 누가 알았겠어요.
③ 조금 이른 감은 있지만 지금 먹어야겠어요.
④ 이젠 버릇이 되어서 배고픈 줄도 모르겠어요.

07. ① 아니에요. 창문을 닫읍시다.
② 맞아요. 답답하지 않아서 다행이에요.
③ 글쎄요. 아마 창문이 열려 있을 거예요.
④ 그래요? 그럼 조금 후에 다시 창문을 열까요?

08. ① 참석자 명단은 아까 주셨잖아요.
② 그럼 확실히 정해지면 알려 주세요.
③ 답례품을 받으려면 이쪽으로 오세요.
④ 졸업 행사에 참석해 주셔서 감사해요.

※ [9~12] 다음 대화를 잘 듣고 여자가 이어서 할 행동으로 알맞은 것을 고르십시오. (각 2점)

09. ① 사무실에 전화한다.
② 컴퓨터를 확인한다.
③ 기숙사 신청을 한다.
④ 학교 홈페이지를 본다.

10. ① 선물을 포장한다.
② 다른 모자를 추천한다.
③ 손님한테 돈을 받고 계산한다.
④ 남자에게 선물을 골라 달라고 한다.

11. ① 옷을 갈아입는다.
② 농구공을 꺼낸다.
③ 오빠와 같이 나간다.
④ 운동장에서 운동한다.

12. ① 배송을 신청한다.
② 카드로 계산한다.
③ 안내 센터에 간다.
④ 집에서 물건을 기다린다.

※ [13~16] 다음을 듣고 내용과 일치하는 것을 고르십시오. (각 2점)

13. ① 여자는 앞으로의 계획을 변경했다.
② 여자는 지금 취업 준비를 하고 있다.
③ 남자는 여자가 공부하는 것을 반대한다.
④ 남자는 여자가 유학을 갈 거라고 생각한다.

14. ① 밖에 비가 조금 내린다.
② 일기예보대로 비가 온다.
③ 역 안에 사람이 별로 없다.
④ 역에서 고객을 위해 우산을 준비했다.

15. ① 오늘부터 4일간 표를 할인한다.
② 작년부터 가족을 위한 할인 티켓을 판매했다.
③ 올해는 작년보다 일찍 스키장을 이용할 수 있다.
④ 티켓을 예매하면 한 장 더 주는 행사를 진행하고 있다.

16. ① 길거리 공연은 올해부터 시작했다.
② 공연을 찾는 사람이 줄어서 걱정이다.
③ 금요일에 공연을 관람하면 SNS에 올려 준다.
④ 일주일에 한 번 예술가를 초대해서 이야기를 나눈다.

※ [17~20] 다음을 듣고 여자의 중심 생각을 고르십시오. (각 2점)

17. ① 재래시장은 주차하기 힘들다.
② 대형마트의 장점이 과장되어 있다.
③ 대형마트는 정리가 잘되어 있어 좋다.
④ 대형마트가 싸기는 하지만 이용하기에 불편하다.

18. ① 자전거를 차도에서 타면 안 된다.
② 자전거 전용 도로에서 자전거를 타면 위험하다.
③ 자전거로 출근하면 스트레스를 받지 않아서 좋다.
④ 자전거를 이용하는 사람이 늘면 교통이 더 복잡해진다.

19. ① 여성의 사회 진출을 도와야 한다.
② 육아 문제가 여성의 사회 진출을 막는다.
③ 회사에서 여성의 육아 문제를 보장해 줘야 한다.
④ 자녀 양육 문제는 국가와 개인이 같이 풀어야 할 숙제다.

20. ① 담배를 피우면 암으로 사망할 수도 있다.
② 담배는 여성과 남성 모두의 건강에 좋지 않다.
③ 담배에 의한 사망률은 남성과 여성이 같을 수밖에 없다.
④ 여성의 폐는 작기 때문에 남성보다 여성이 금연을 해야 한다.

※ [21~22] 다음을 듣고 물음에 답하십시오. (각 2점)

21. 남자의 중심 생각으로 알맞은 것을 고르십시오.

① 패스트푸드는 맛에 비해 비싸다
② 패스트푸드는 위생 상태가 나쁘다.
③ 패스트푸드는 바쁜 사람에게 편리하다.
④ 패스트푸드는 조미료가 많이 들어 간다.

22. 들은 내용으로 맞는 것을 고르십시오.

① 남자는 패스트푸드를 싫어한다.
② 남자는 패스트푸드의 장점이 가격이라고 생각한다.
③ 여자는 패스트푸드의 장점이 영영 부족이라고 생각한다.
④ 여자는 패스트푸드가 요즘 사람들에게 맞는 음식이라고 생각한다.

※ [23~24] 다음을 듣고 물음에 답하십시오. (각 2점)

23. 남자가 무엇을 하고 있는지 맞는 것을 고르십시오.

① 갯벌 위치를 확인하고 있다.
② 호텔까지 가는 길에 대해 묻고 있다.
③ 여행하려는 곳에 숙박을 예약하고 있다.
④ 근처 체험 프로그램에 대해 문의하고 있다.

24. 들은 내용으로 맞는 것을 고르십시오.

① 갯벌 체험은 당분간 이용할 수 없다.
② 마을 탐방은 아이만 이용이 가능하다.
③ 남자는 가족과 5일간 호텔에서 묵을 예정이다.
④ 호텔에서는 가족을 위한 체험 활동을 계획 중이다.

※ [25~26] 다음을 듣고 물음에 답하십시오. (각 2점)

25. 이 뉴스의 제목으로 가장 알맞은 것을 고르십시오.

① 환경 문제, 눈앞이 깜깜
② 해외 건설 시장, 폭발적 수요 증가
③ 친환경 건축 방식, 해외에서도 놀라
④ 에너지 절약, 우리 모두가 실천할 때

26. 들은 내용으로 맞는 것을 고르십시오.

① 새로운 건축 기술은 해외로부터 도입했다.
② 해외 건축 회사도 이 건물을 짓는 데 참여했다.
③ 앞으로 친환경 건축 방식에 대한 수요가 줄어들 것이다.
④ 이 건물에 에너지 절약을 위한 새로운 방법을 적용했다.

※ [27~28] 다음을 듣고 물음에 답하십시오. (각 2점)

27. 여자가 남자에게 말하는 의도를 고르십시오.

① 기부에 동참한 것을 자랑하려고
② 가족의 소중함을 일깨워 주려고
③ 가방 구매의 의미를 알려 주려고
④ 자신감을 높일 수 있는 방법에 대해 조언하려고

28. 들은 내용으로 맞는 것을 고르십시오.

① 이 가방을 한 개 사면 한 개 더 준다.
② 이 가방을 가난한 아이에게 싸게 판매한다.
③ 여자는 남자에게 가방을 선물한 적이 있다.
④ 여자는 쇼핑을 하다가 이 가방을 알게 되었다.

※ [29~30] 다음을 듣고 물음에 답하십시오. (각 2점)

29. 남자는 누구인지 고르십시오.

① 의사 ② 기자
③ 요리사 ④ 방송 관계자

30. 들은 내용으로 맞는 것을 고르십시오.

① 당근은 체내 비타민 흡수를 돕는다.
② 당근은 비타민 A를 생성하는 채소다.
③ 당근은 무와 같이 먹어야 효과가 좋다.
④ 당근은 비타민A를 파괴하는 성분이 있다.

※ [31~32] 다음을 듣고 물음에 답하십시오. (각 2점)

31. 남자의 생각으로 맞는 것을 고르십시오.

① '마스크 착용 의무화'는 현 상황에서 의미없는 제도이다.
② '마스크 착용 의무화'는 국민 건강 보호를 위한 제도이다.
③ '마스크 착용 의무화'는 최대의 결과를 가져올 수 있는 제도이다.
④ '마스크 착용 의무화'는 질병을 막을 수 있는 효과적인 제도이다.

32. 남자의 태도로 맞는 것을 고르십시오.

① 새로운 제도의 확대를 인정하고 있다.
② 새로운 제도의 시행을 촉구하고 있다.
③ 새로운 제도의 필요성에 공감하고 있다.
④ 새로운 제도의 문제점을 비판하고 있다.

※ [33~34] 다음을 듣고 물음에 답하십시오. (각 2점)

33. 들은 내용의 주제로 맞는 것을 고르십시오.

① 우리는 인생을 심각하게 살아야 한다.
② 무슨 일이든 즐기면서 해야 더욱 효과적이다.
③ 자기가 좋아하는 일을 하면 항상 성공할 수 있다.
④ 일을 진지하게 생각하는 것보다 신선하게 생각해야 한다.

34. 들은 내용으로 맞는 것을 고르십시오.

① 한국 사람들은 일을 할 때 즐기면서 한다.
② 한국 사람들에게 히딩크 감독의 훈련 방식은 새로웠다.
③ 히딩크 감독은 죽을 각오로 경기에 임해야 한다고 생각한다.
④ 자신의 실력을 최대한 발휘하기 위해서는 의지와 목표가 가장 중요하다.

※ [35~36] 다음을 듣고 물음에 답하십시오. (각 2점)

35. 남자가 무엇을 하고 있는지 고르십시오.

① 도에서 만든 편의 시설을 소개하고 있다.
② 도민이 원하는 것이 무엇인지 조사하고 있다.
③ 도민을 위한 정책을 펼칠 것을 다짐하고 있다.
④ 도의 발전을 위해 자신을 지지해 달라고 부탁하고 있다.

36. 들은 내용으로 맞는 것을 고르십시오.

① 이 남자는 전에도 도지사를 한 적이 있다.
② 이 남자는 추진 중이던 정책을 모두 끝냈다.
③ 이 남자는 기업 유치를 위한 정책을 준비하려고 한다.
④ 이 남자는 전국에서 가장 좋은 의료 시설을 짓고 있다.

※ [37~38] 다음을 듣고 물음에 답하십시오. (각 2점)

37. 이 뉴스의 제목으로 가장 알맞은 것을 고르십시오.

① 웃음 치료의 장점
② 웃음이 주는 효과
③ 행복한 삶을 위한 방법
④ 웃음이 건강에 미치는 영향

38. 들은 내용으로 맞는 것을 고르십시오.

① 웃음은 사람을 행복하게 만든다.
② 웃음과 행복은 서로 반비례한다.
③ 웃음과 건강은 전혀 상관이 없다.
④ 잘 웃지 않는 사람은 삶에 만족도가 높다.

※ [39~40] 다음을 듣고 물음에 답하십시오. (각 2점)

39. 남자의 태도로 맞는 것을 고르십시오.

① 상대방의 의견에 동의하며 대책을 강구하고 있다.
② 상대방의 의견을 반박하며 해결 방안을 제안하고 있다.
③ 상대방의 의견에 구체적인 사례를 들어 반박하고 있다.
④ 상대방의 의견을 분석하며 구체적으로 책임을 묻고 있다.

40. 들은 내용으로 맞는 것을 고르십시오.

① 바다에서 사고가 나면 비교적 구조가 쉽다.
② 사고가 난 뒤 해결 방법을 제시하면 너무 늦다.
③ 사고 현장에 따라서 이루어지는 구조 활동이 다르다.
④ 앞이 보이지 않더라도 구조 활동이 잘 이루어져야 한다.

※ [41~42] 다음을 듣고 물음에 답하십시오. (각 2점)

41. 여자는 무엇을 하고 있는지 고르십시오.

① 화폐의 종류를 설명하고 있다.
② 화폐 생산의 어려움을 말하고 있다.
③ 화폐 보존의 중요성을 역설하고 있다.
④ 화폐 보존 방법에 대해서 설명하고 있다.

42. 들은 내용으로 맞는 것을 고르십시오.

① 화폐는 그 나라의 문화와 아주 밀접한 관계가 있다.
② 그 나라의 문화유산은 화폐의 도안 소재로 삼지 않는다.
③ 국가에서는 민족의 우수성을 알리기 위해 화폐를 만든다.
④ 각 나라의 화폐는 그 나라만의 특별한 방법으로 화폐를 보존한다.

※ [43~44] 다음을 듣고 물음에 답하십시오. (각 2점)

43. 이 강연 앞의 내용으로 알맞은 것을 고르십시오.

① 전쟁이 일어나는 이유
② 난민촌 아이들의 상태
③ 나라와 나라 간의 전쟁
④ 평화로운 난민촌 아이들

44. 여자의 중심 생각으로 맞는 것을 고르십시오.

① 앞으로 전쟁은 점점 사라질 것이다.
② 전쟁의 가장 큰 피해자는 아이들이다.
③ 난민이 없어져야 평화가 찾아올 것이다.
④ 난민촌 아이들을 보호해 줄 방법이 생길 것이다.

※ [45~46] 다음을 듣고 물음에 답하십시오. (각 2점)

45. 이 글의 중심 내용으로 맞는 것을 고르십시오.

① 동서양 음식 문화의 차이는 당연한 것이다.
② 사회와 음식 문화는 서로 밀접하게 관련되어 있다.
③ 사회의 특성에 따라서 음식 문화가 다를 수밖에 없다.
④ 젓가락 문화는 농경 생활, 포크 문화는 유목 생활에서 온 것이다.

46. 들은 내용과 일치하는 것을 고르십시오.

① 동양에서는 음식을 통째로 식탁에 올린다.
② 동양에서는 음식을 즉석에서 취향대로 먹는다.
③ 동양에서 칼은 조리도구지 식사 도구가 아니었다.
④ 동양의 음식 문화는 목축업과 유목 생활의 영향을 받았다.

※ [47~48] 다음을 듣고 물음에 답하십시오. (각 2점)

47. 들은 내용과 일치하는 것을 고르십시오.

① 독자들은 신문 제작에 참여하고자 한다.
② 신문협회는 감각적인 영상 매체를 지향한다.
③ 조사에 따르면 사람들은 신문을 신뢰한다고 답했다.
④ 신문의 고유성은 정보의 정확성과 분석력이라고 할 수 있다.

48. 남자가 말하는 방식으로 알맞은 것을 고르십시오.

① 영상 매체를 종류별로 나누어 분류하고 있다.
② 정보 전달 매체를 비판적으로 분석하고 있다.
③ 문자 매체에 발생 가능한 문제를 제기하고 있다.
④ 두 매체를 비교하면서 자신의 주장을 증명하고 있다.

※ [49~50] 다음을 듣고 물음에 답하십시오. (각 2점)

49. 들은 내용으로 맞는 것을 고르십시오.

① 불법 다운로드는 음반 산업에 긍정적인 영향을 준다.
② 불법 다운로드가 계속되면 문화 사업이 축소될 것이다.
③ 정당한 대우를 받는 창작가들의 의욕이 감소할 것이다.
④ 지적 재산권을 지닌 사람이 불법 다운로드한 사람에게 피해를 준다.

50. 남자가 말하는 방식으로 알맞은 것을 고르십시오.

① 불법 다운로드의 실태를 고발하고 있다
② 영화 시장이 침체된 원인을 분석하고 있다.
③ 문화 콘텐츠 개발의 필요성을 설명하고 있다.
④ 지적 재산권 보호의 중요성을 주장하고 있다.

쓰기 (51번~54번)

※ [51~52] 다음을 읽고 ㉠와 ㉡에 들어갈 말을 각각 한 문장으로 쓰십시오. (각 10점)

51.

새 메일

받는사람	김미주
제목	김미주 씨, 최상현입니다.

안녕하십니까?
어제 회사에서 받은 자료를 회사에 두고 왔습니다.
혹시, 자료를 제 이메일로 (㉠)?
그리고 내일 회의 때 사용할 자료를 준비했습니다.
처음이라서 부족한 부분이 많습니다.
미영 씨가 자료를 보고 저에게 (㉡).
그 조언이 제게 큰 힘이 될 것 같습니다.
어려운 부탁을 드려 죄송합니다.

최상현 드림

52.

채식주의는 채소, 과일 또는 쌀과 같은 곡식만 먹고 고기와 생선은 먹지 않는 생활방식을 이야기합니다. 이런 채식주의는 다이어트에 (㉠). 체중이 감소하는 것 뿐만 아니라 채식을 통해 환경도 보호할 수 있습니다. 그래서 최근에는 건강한 몸매를 유지하면서 (㉡) 채식주의를 선택하는 사람들이 증가하고 있습니다.

53. 다음을 참고하여 '건강한 삶과 운동에 대한 인식'에 대한 글을 200~300자로 쓰십시오. 단, 글의 제목을 쓰지 마십시오. (30점)

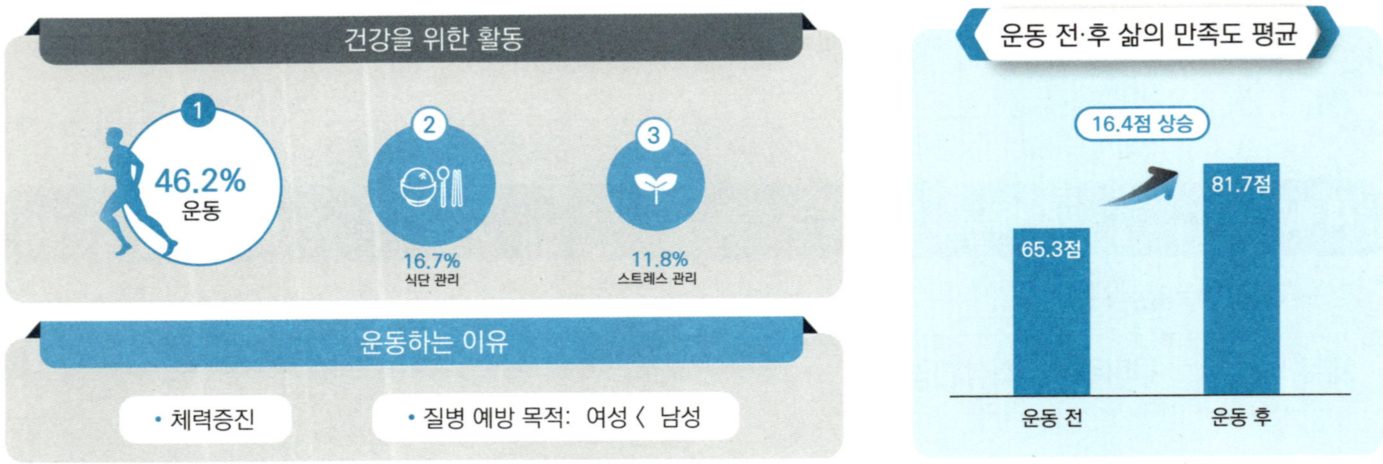

54. 다음을 주제로 하여 자신의 생각을 600~700자로 글을 쓰십시오. 단, 문제를 그대로 옮겨 쓰지 마십시오. (50점)

더불어 살아가는 사회에서 불평등 문제는 개인의 문제만이 아니라 사회적인 문제로까지 확대되었습니다. 그리고 이제는 모두가 함께 해결해야 할 과제가 되었습니다. 불평등 문제에 대해 아래의 내용을 중심으로 자신의 생각을 쓰십시오.

- 개인적 불평등 문제에는 어떤 것이 있습니까?
- 사회적 불평등 문제에는 어떤 것이 있습니까?
- 이 문제들을 해결하기 위해 개인적·사회적으로 어떤 노력이 필요합니까?

* 원고지 쓰기의 예

	한	국		사	람	은		'	우	리	'	라	는		말	을		자	주		쓴	다	.	
이	는		가	족	주	의	에	서		비	롯	되	었	다	.									

한국어능력시험
Real TOPIK Ⅱ

Chapter 05

Real TOPIK Ⅱ 5회

읽기 (1번~50번)

읽기 (1번 – 50번)

※ [1~2] (   )에 들어갈 가장 알맞은 것을 고르십시오. (각 2점)

01. 이 선수는 키가 (   ) 농구를 잘한다.

① 작아서 ② 작으면
③ 작아도 ④ 작거나

02. 내일 친구랑 만나서 영화를 (   ).

① 보는 중이다 ② 보는 편이다
③ 보기로 했다 ④ 본 적이 있다

※ [3~4] 다음 밑줄 친 부분과 의미가 비슷한 것을 고르십시오. (각 2점)

03. 동생은 버스에 타서 자리를 잡고 <u>앉자마자</u> 졸기 시작했다.

① 앉기 위해 ② 앉기 때문에
③ 앉기만 하면 ④ 앉기가 무섭게

04. 친구가 자꾸 <u>미는 바람에</u> 계단에서 넘어지고 말았다.

① 민 탓에 ② 민 채로
③ 밀 때마다 ④ 밀 만해서

※ [5~8] 다음은 무엇에 대한 글인지 고르십시오. (각 2점)

05.

한 알이면 충분!!
10분 안에 통증이 사라집니다.

① 술 ② 물 ③ 빵 ④ 약

06.

수강생 수 1위
합격을 약속합니다!

① 시장 ② 학원 ③ 공원 ④ 병원

07.

이 한 병에 비타민이 가득!
이젠 먹지 마세요. 피부에 양보하세요.

① 과일 광고 ② 병원 광고 ③ 음료수 광고 ④ 화장품 광고

08.

1. 구입 후 일주일 안에 환불 가능
2. 영수증 필요
3. 물건은 반드시 반납해야 함.

① 조리 방법 ② 주의 사항 ③ 등록 문의 ④ 접수 안내

※ [9~12] 다음 글 또는 그래프의 내용과 같은 것을 고르십시오. (각 2점)

09.

제 5회 세계 음악 축제

- 기간: 2021년 11월 5일(금)~11월 14일(일)
- 장소: 서울 여의도 공원 광장
- 내용: 세계 여러 나라 전통 음악 공연 및 전통 악기 전시회

※ 우천 시에는 공연이 취소됩니다.

① 축제는 올해 처음 열린다.
② 축제는 비가 오면 취소된다.
③ 축제는 일주일 동안 진행된다.
④ 축제는 전통 음악 공연만 있다.

10.

연령별 스트레스 해소법

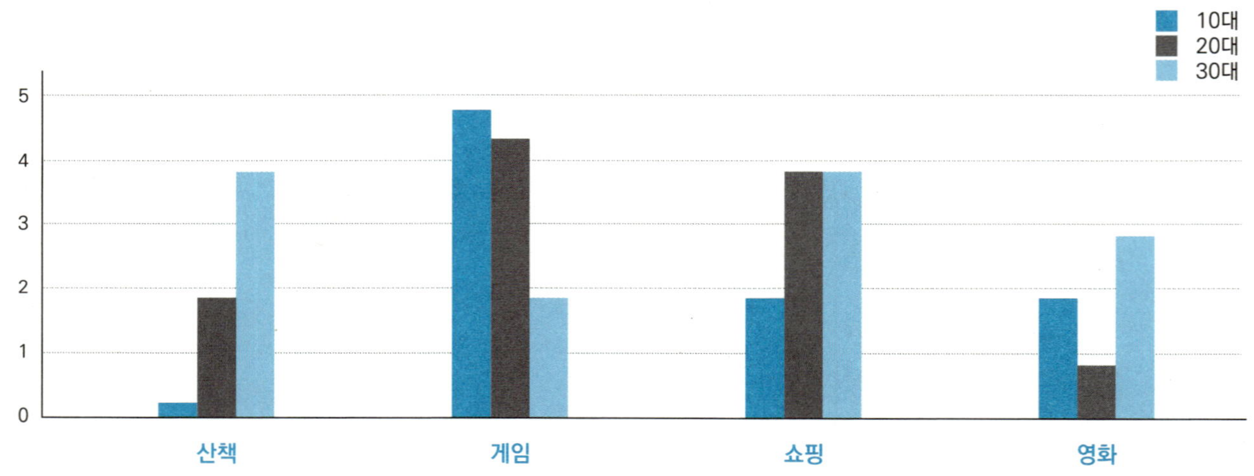

① 10대는 쇼핑하는 비율이 반이 넘는다.
② 게임을 하는 비율은 20대가 가장 높다.
③ 20대와 30대는 쇼핑하는 비율이 거의 같다.
④ 산책을 하는 비율은 20대가 30대보다 높다.

11.

텔레비전은 여러 가지로 사람을 기쁘게 만든다. 하지만 그러한 장점만큼이나 단점도 적지 않다. 텔레비전을 흔히 '바보상자'라고 부른다. 왜냐하면 텔레비전을 보면 스스로 생각할 기회를 잃어버리기 때문이다. 이 문제뿐만이 아니다. 텔레비전에 지나치게 빠지게 되면 우리가 가지고 있는 시간을 낭비하게 하며 가족 간의 대화도 어렵게 한다. 그래서 최근에는 텔레비전을 없애는 가정이 늘고 있다.

① 텔레비전은 단점보다 장점이 많다.
② 텔레비전을 없애는 집이 많아지고 있다.
③ 텔레비전이 모든 사람들에게 즐거움을 준다.
④ 텔레비전은 상상력을 키울 수 있는 기회를 준다.

12.

우리가 살아가는데 공기는 반드시 필요하다. 공기가 없으면 우리는 단 5분도 살 수 없다. 이런 공기는 의외로 음식의 맛과 관련이 깊다. 공기가 음식의 맛에 미묘한 차이를 내기 때문이다. 따라서 많은 식품업계에서 식품을 만들 때 공기를 효과적으로 사용하려고 한다. 특히 빵은 공기와 밀접한 관계가 있는 식품이다. 부드러운 빵을 만들려면 반죽할 때 거품을 내고 공기가 충분히 들어가게 한다. 공기가 충분해야 빵을 만들 때 부드러워지기 때문이다.

① 공기와 음식은 관계가 전혀 없다.
② 미묘한 맛의 차이를 내기 위해 빵을 연구한다.
③ 빵을 반죽할 때 단맛을 내기 위해 거품을 낸다.
④ 많은 식품업 종사자들은 식품을 만드는 데 공기를 효과적으로 활용한다.

※ [13~15] 다음을 순서대로 맞게 나열한 것을 고르십시오. (각 2점)

13.

(가) 아침에 친구 생일 파티에 초대를 받았다.
(나) 그래서 나는 수업을 마치고 케이크를 하나 샀다.
(다) 우리는 친구 집에서 파티를 하고 즐겁게 놀았다.
(라) 그런데 친구 집을 잘 못 찾아서 내가 제일 늦게 도착했다.

① (가) - (라) - (나) - (다)
② (가) - (나) - (라) - (다)
③ (나) - (라) - (가) - (다)
④ (나) - (라) - (다) - (가)

14.

(가) 그런데 에어컨 바람이 사람들의 건강을 해칠 수도 있다.
(나) 에어컨은 더운 여름철 사람들의 더위를 식히기 위해 만들었다.
(다) 따라서 에어컨을 사용할 때에는 정기적으로 관리를 잘해야 한다.
(라) 만약 에어컨 관리를 제대로 하지 않으면 에어컨에 세균이 생긴다.

① (가) - (나) - (라) - (다)
② (가) - (라) - (다) - (나)
③ (나) - (라) - (가) - (다)
④ (나) - (가) - (라) - (다)

15.

(가) 그러나 16세기 초부터 양반들은 권력을 함부로 사용하기 시작했다.
(나) 백성들은 점점 살기가 힘들어서 산속에 들어가 사는 경우가 많았다.
(다) 그들은 백성들을 위해 일하기보다는 자신들의 재산을 모으는 데만 힘썼다.
(라) 조선 초에는 양반들이 국가의 발전을 위해 많은 노력을 해서 백성들이 편안하게 지냈다.

① (나) - (가) - (다) - (라)
② (나) - (다) - (라) - (가)
③ (라) - (가) - (나) - (다)
④ (라) - (가) - (다) - (나)

※ [16~18] 다음을 읽고 ( )에 들어갈 내용으로 가장 알맞은 것을 고르십시오. (각 2점)

16.

냉면은 밀로 만들어서 소화하기 힘든 음식이다. 그러나 냉면과 함께 곁들여 먹는 계란과 무가 밀의 소화를 돕는 역할을 한다. 그리고 냉면은 몸을 차갑게 만드는 음식이다. 그래서 체하거나 위에 부담을 줄 수 있다. 이러한 문제를 해결하기 위해서 ( ) 겨자와 식초를 함께 먹는 것이다.

① 몸에 부담을 주는
② 몸을 차갑게 만드는
③ 몸을 따뜻하게 해 주는
④ 몸에 소화를 돕게 하는

17.

할미꽃은 꽃이 피었을 때 모양이 머리가 흰 할머니 같다고 해서 붙여졌다. 햇빛이 많고 건조한 곳에서 잘 서식한다. 그래서 나무가 많은 깊은 산보다는 강이나 낮은 산에서 잘 핀다. 조상들은 할미꽃을 다양한 부분에 활용했다. 할미꽃의 꽃잎과 뿌리는 배가 아플 때 약으로 썼다. 그리고 화장실 같은 곳에 두면 좋은데 ( ) 때문이다.

① 가격이 싸기
② 향기가 진하기
③ 모양이 예쁘기
④ 구하는 게 힘들기

18.

물건의 기능도 중요하지만 더 중요한 것은 디자인이다. 몇몇 사람들은 물건의 기능만 좋으면 소비자들이 좋아할 거라고 생각한다. 물론 그럴 수 있다. 그러나 그것은 특수한 경우일 뿐이다. 보통 사람들은 ( ). 디자인이 예쁘면 사람들의 마음을 빼앗을 수 있다. 앞으로는 어떻게 디자인을 할 것인지 생각해 봐야 할 것이다.

① 물건의 기능을 선호하기 마련이다.
② 디자인에 먼저 눈이 가기 마련이다.
③ 가격을 중요하게 생각하기 마련이다.
④ 소비자의 취향을 고려하기 마련이다.

※ [19~20] 다음 글을 읽고 물음에 답하십시오. (각 2점)

누구나 실수를 하면 아무도 모르게 하고 싶어 한다. 그러나 이것은 실수를 더 크게 만들 뿐이다. 회사의 대표도 실수한다. 목표에 도달하기 위해 노력할 때 한 실수는 (　　　　) 좋은 기회가 될 수 있다. 실수했을 때는 다른 사람에게 자기가 실수했다는 것을 솔직하게 이야기하는 것이 가장 좋은 방법이다. 그러므로 실수한 것을 후회하고 속상해하는 것보다는 실수를 통해 잘못된 점을 배우고 다시 노력하는 것이 실수 때문에 생긴 문제를 풀 수 있는 가장 좋은 방법이다.

19. (　　　　)에 들어갈 알맞은 고르십시오.

① 그러면　② 게다가　③ 오히려　④ 따라서

20. 이 글의 내용과 같은 것을 고르십시오.

① 사람들은 실수한 것에 대해 인정이 빠르다.
② 사람들은 실수에 대해서 숨기고 싶어 한다.
③ 사람들은 같은 실수를 여러 번 반복해서 한다.
④ 사람들은 목표에 도달하기 위해서 실수를 한다.

※ [21~22] 다음을 읽고 물음에 답하십시오. (각 2점)

인생에 목표가 있는 사람이 그렇지 않은 사람보다 장수한다는 연구 결과가 나왔다. 이런 효과는 젊은 연령층뿐만 아니라 고령층까지 나타났다. 연구 결과에 따르면 목표는 빨리 찾으면 찾을수록 효과가 높다고 한다. 연구팀은 14년 동안 연구에 참여한 사람을 대상으로 사망한 560명을 분석한 결과 대부분의 사망자는 현재 살아있는 연구에 참여한 사람보다 삶에 대한 목표 의식이 부족한 것으로 밝혀졌다. 또한 개인이 사는 동안 삶의 목표 의식이 (　　　　) 사망률을 낮추는 것으로 확인됐다.

21. (　　　　)에 들어갈 알맞은 고르십시오.

① 강하면 강할수록
② 없으면 없을수록
③ 변하면 변할수록
④ 있으면 있을수록

22. 위 글의 중심 생각을 고르십시오.

① 삶의 목표를 세우는 것이 좋다.
② 인간의 노화는 막으려야 막을 수 없다.
③ 인간이 장수하는 방법은 존재하지 않는다.
④ 사망률을 낮추기 위해서 연구에 참여해야 한다.

※ [23~24] 다음을 읽고 물음에 답하십시오. (각 2점)

> 결혼할 때 유명한 가전제품 회사에서 냉장고를 구입했다. 가격이 비싸기는 했지만 디자인이 마음에 들어서 구입했는데 제품이 튼튼해서 10년 동안 고장 없이 잘 사용할 수 있었다. 그런데 얼마 전부터 냉장고에서 소음이 들리고 온도에 문제가 생겨서 A/S를 요청했다. 그런데 수리하러 온 직원은 10년이면 오래 썼다면서 새로 하나 사라고 권했다. 요즘 세상에 이런 고물을 쓰는 사람은 없다면서 고칠 생각은 하지도 않고 신상품 광고만 했다. 그 직원의 태도에 AS를 받지 않겠다고 했다.
> 며칠 후 다른 수리 회사에 맡겨서 고장 난 부분을 고쳤는데 지금까지 잘 쓰고 있다. AS 직원이면 자기 회사의 제품을 사용해 준 소비자에게 감사하고 더 오래 쓸 수 있게 고쳐 줘야 하는 것이 아닐까?

23. 밑줄 부분에 나타난 '나'의 심정으로 알맞은 것을 고르십시오.

① 불만스럽다
② 영광스럽다
③ 부담스럽다
④ 자랑스럽다

24. 위 글의 내용과 같은 것을 고르십시오.

① 냉장고의 문이 열리지 않아 AS를 신청했다.
② 고장난 부분을 수리해서 지금까지도 잘 쓰고 있다.
③ AS 직원은 친절하게 고장이 난 원인에 대해서 설명했다.
④ 10년 동안 여러 번 수리를 하는 바람에 수리비가 많이 나왔다.

※ [25~27] 다음 신문 기사의 제목을 가장 잘 설명한 것을 고르십시오. (각 2점)

25.

은행권 농촌 주민 특별대출 지원 '속 빈 강정'

① 농촌 주민들이 은행의 특별대출 제도를 반기고 있다.
② 농촌 주민에게 '속 빈 강정'이라는 특별대출 제도가 시행된다.
③ 농촌 주민들에게 은행의 특별대출 제도가 전혀 도움이 안 되고 있다.
④ 농촌 주민을 위한 은행의 특별대출 제도가 좋은 성과를 보이고 있다.

26.

학교폭력 예방 위해 경찰, 교육청과 손잡아

① 학교폭력 예방을 위해서 경찰이 교육청을 거부했다.
② 학교폭력 예방을 위해서 경찰이 교육청을 흡수했다.
③ 학교폭력 예방을 위해서 경찰이 교육청에 위탁했다.
④ 학교폭력 예방을 위해서 경찰과 교육청이 협력했다.

27.

편의점, 패스트푸드점은 청소년 '아르바이트 지옥'

① 편의점에서 청소년에게 해로운 것을 파는 것이 문제가 되고 있다.
② 패스트푸드를 먹는 청소년들이 많아지면서 건강에 피해를 주고 있다.
③ 편의점, 패스트푸드점에서 일하는 청소년들의 근로 조건이 아주 안 좋다.
④ 청소년들이 아르바이트를 하느라 피곤해서 학교 공부를 거의 못하고 있다.

※ [28~31] 다음을 읽고 (   )에 들어갈 내용으로 가장 알맞은 것을 고르십시오. (각 2점)

28.

식품을 오래 보관할 수 있는 통조림은 어떻게 만들어졌을까? 전쟁 중 군사에게 먹일 음식을 썩지 않고 오래 저장하기 위해서 나온 것이 병조림이다. 병조림은 살균한 유리병에 가열한 음식을 넣고 밀봉하는 것이다. 그러나 이것은 저장 기간은 크게 늘릴 수 있었지만 작은 충격에도 쉽게 깨지는 단점이 있었다. 그 뒤 오랜 시간이 지나 양철로 만든 통조림이 개발되었는데 통조림은 병조림보다 저장 기간도 길고 (   ) 장점이 있다.

① 시간이 절약되는
② 충격에도 강하다는
③ 사용하기 편하다는
④ 통을 싸게 살 수 있다는

29.

옛날 사람들은 숯을 생활 곳곳에서 사용했다. 그 쓰임새 하나하나를 살펴보면 매우 놀랍다. 숯은 사람에게 해로운 균을 없애 주고 좋은 미생물을 번식하게 한다. 그래서 한국 조상들은 간장이나 된장을 담글 때 숯 서너 덩이를 넣었다. 숯에 있는 성분은 간장과 된장의 영양분을 풍부하게 한다. 또한 숯은 (   ) 음식과 함께 놓아두기만 해도 음식이 쉽게 상하지 않게 한다. 그래서 옛 사람들은 며칠씩 준비한 제사 음식 옆에 숯을 두고 음식을 보관하곤 했다.

① 균을 번식하는 성질이 있어
② 썩는 것을 막는 성질이 있어
③ 장을 맛있게 하는 성질이 있어
④ 영양을 풍부하게 만드는 성질이 있어

30.

우리가 사 먹는 초콜릿 한 개 가격은 카카오를 재배하는 농민, 수출업자, 가공하는 회사, 유통업자의 몫이 모두 포함되어 있다. 그런데 카카오를 재배하는 농민의 몫은 아주 적다. 그래서 농민은 항상 ( ), 생산량을 늘리기 위해 어린 아이까지 카카오 농장에서 일을 하고 있다. 이런 문제를 해결하기 위해 만든 것이 '공정 무역'이다. 공정 무역이란 서로 혜택이 동등하게 이루어지는 무역을 말한다. 공정 무역은 최저 가격을 보장하며 농민들이 카카오콩을 생산하는 데 드는 비용과 노동에 대한 값을 지불하고 있다.

① 가난할 수밖에 없고
② 행복할 수밖에 없고
③ 신중할 수밖에 없고
④ 선택할 수밖에 없고

31.

대부분 사람들은 밤에 잠을 잘 때 꿈을 꾼다. 꿈에는 여러 가지 종류가 있는데 꿈으로 미래를 이야기하는 것을 '해몽'이라고 한다. '꿈보다 해몽'이라는 말을 들어 본 적이 있는가? 온 몸에서 피가 흐르는 꿈은 상상만 해도 두렵고 끔찍하지만 이 꿈은 오히려 집에 돈이 들어오고, 하고 있는 일이 순조롭게 진행될 징조라고 한다. 항상 적용되는 것은 아니지만 한국 사람들은 꿈에 대해 ( ) 그래서 나쁜 내용의 꿈이라고 해서 나쁜 일이 생기는 것은 아니니 걱정하지 않아도 된다.

① 별로 관심이 없다.
② 절대적으로 맹신한다.
③ 보통 반대로 생각한다.
④ 좋게 해석하는 경향이 있다.

※ [32~34] 다음을 읽고 내용이 같은 것을 고르십시오. (각 2점)

32.

원숭이, 말, 돌고래, 개, 코끼리 등은 다른 동물에 비해 뇌가 상대적으로 크다. 이 동물들을 살펴보면 하나같이 안정적인 집단생활을 하고 있다. 함께 살기 위해서 다른 동물을 배려하고 협력하는 과정에서 뇌가 상당히 자극을 받아서 한 단계 높은 차원으로 진화한 것이다. 이처럼 함께 모여 공동생활하면서 동물은 뇌가 진화했을 것이다. 따라서 인간도 남들과 어울리는 과정이 우리의 뇌를 더 건강하게 만들 수 있을 것이다.

① 동물들은 모두 공동생활을 한다.
② 공동생활을 통해서 동물도 진화한다.
③ 동물들은 협력하는 방법을 알 수 없다.
④ 인간만 공동생활을 하는 유일한 동물이다.

33.

재택근무의 증가로 집에 있는 시간이 늘어나면서 홈트레이닝이 일상으로 자리 잡았다. 홈트레이닝은 시간과 공간에 제약 없이 자유롭게 운동할 수 있는 장점이 있지만, 자세가 잘못된 상태로 혼자 운동을 지속할 경우 관절과 척추에 무리가 올 수 있다. 전문가의 도움과 관리 없이 동영상 혹은 그림에만 의존해 운동하게 되면 자신의 신체 상태를 고려하지 못해 부상이 생길 수도 있다. 무리하게 운동하기보다 본인에게 맞는 운동과 적정한 시간을 설정해 운동을 시작하면서 서서히 시간을 늘려가는 것이 좋다.

① 홈트레이닝은 전문가를 위한 특별한 운동 방법이다.
② 홈트레이닝을 하면 처음부터 운동량을 늘려야 한다.
③ 홈트레이닝을 잘못하게 되면 역효과를 가져올 수 있다.
④ 홈트레이닝은 야외에서 할 수 있는 운동으로 비교적 자유롭다.

34.

오페라는 16세기 이탈리아에서 발생하여 유럽 전 지역으로 퍼져나가 현재까지 전 세계적으로 인기를 얻고 있다. 반면에 판소리는 17~18세기에 형성되었을 것으로 추정된다. 오페라는 화려한 무대에서 웅장한 관현악 음악을 배경으로 여러 명의 배우가 공연을 하는 것과 달리 판소리는 좁은 공간에서 고수의 장단에 맞추어 소리꾼이 공연을 한다는 점에서 차이가 있다. 그러나 오페라와 판소리는 모두 문학 작품을 바탕으로 이루어졌다는 점, 그리고 대사가 주로 노래로 이루어진다는 점, 무대 예술이라는 점에서 장르적 공통점을 찾을 수 있다.

① 오페라보다 판소리가 먼저 발생하였다.
② 판소리와 오페라는 비슷한 내용의 줄거리가 많다.
③ 판소리는 오페라와 달리 많은 배우가 공연하지 않는다.
④ 판소리와 오페라 모두 후대에 문학 작품으로 만들어졌다.

※ [35~38] 다음 글의 주제로 가장 알맞은 것을 고르십시오. (각 2점)

35.

모든 가정에 쓰다 남은 약이 있다. 일반 가정에서 약이 남으면 방치하거나 쓰레기통에 버리기 때문에 약국에 회수되는 약은 많지 않다. 이렇게 버려진 약은 환경오염을 유발한다. 토양에 화학성분이 남아 주변 동식물에 영향을 미친다. 하수구에 약을 버려도 마찬가지다. 버려진 약은 정수 과정을 거치면서 독성 물질로 변할 수 있다. 그러므로 쓰다 남은 약을 약국에서 회수하는 것에 대해 정부가 홍보를 좀 더 강화해야 한다.

① 모든 가정에는 쓰고 남은 약이 있다.
② 가정에서 쓰고 남은 약은 회수되지 않는다.
③ 회수되지 않은 약으로 인해서 환경이 오염된다.
④ 정부는 남은 약을 회수할 수 있게 홍보에 힘써야 한다.

36.

누구나 태어나서 걷기 시작할 때까지 1년이 넘는 시간이 걸린다. 이렇듯 첫걸음이 가장 어려운 법이다. 하지만 첫걸음을 떼고 난 이후에 두 걸음, 세 걸음은 첫걸음과 다르게 쉽고 발걸음이 가볍다는 것을 느낄 수 있을 것이다. 많은 사람들이 새로운 일을 하는 것에 대해서 공포심을 가지고 있다. 그러나 새로 시작하는 일로 두려워한다면 그럴 필요가 없다. 눈 딱 감고 발을 떼어 보자. 그럼 점점 발전하는 자신의 보습을 발견할 수 있을 것이다.

① 누구나 처음에 걷는 것은 어렵다.
② 무슨 일이든지 처음은 어렵지만 그 다음은 쉽다.
③ 사람들은 처음 하는 일에 대해 공포심을 갖는다.
④ 계속 걷다 보면 발걸음이 가벼운 것을 느낄 수 있다.

37.

살다보면 여러 위기 상황에 처하게 된다. 혼자 힘으로 어쩔 수 없거나 위험한 상황일 때 우리는 안전신고센터 119에 전화한다. 하지만 철없는 장난으로 119에 전화하는 일은 없어야 할 것이다. 장난 전화를 받고 출동했는데 그 시각 다른 곳에서 진짜 위급한 상황이 발생한다면 소방대원이 제때 출동할 수 없어 인명 피해로 이어질 수 있기 때문이다. 내가 한 장난 전화가 다른 사람의 소중한 생명을 위험에 빠트릴 수 있다는 것을 명심해야 한다.

① 위험할 때는 119에 신고해야 한다.
② 119로 장난 전화를 해서는 안 된다.
③ 위급한 상황은 될 수 있으면 피해야 한다.
④ 구급 대원은 제때 출동할 수 있는 연습이 필요하다.

38.

'립스틱 효과'는 경기가 좋지 않을 때 여성 소비자들이 비싼 명품 대신에 상대적으로 저렴한 립스틱을 구입해 분위기를 바꾸고 이에 만족을 느낀다는 것에서 유래된 말이다. 즉 어려운 경제 상황에서의 소비 성향을 보여주는 것으로 단지 립스틱뿐만 아니라 최저비용으로 사치를 부릴 수 있는 모든 상품과 서비스에 적용할 수 있다. 이처럼 경제 전문가들은 불황기에 저가지만 효용을 높일 수 있는 상품과 서비스가 주목받을 것이라고 전망한다. 그러므로 불황을 극복하는 전략으로 시도해 볼 만한 가치가 있다.

① 여성은 경제를 극복하기 위해 사치를 부린다.
② 경제가 불황일 때 저가의 물건을 만들어야 한다.
③ 여성은 스스로 만족감을 느끼기 위해 립스틱을 구매한다.
④ 경제가 어려울 때는 소비 심리를 이용해서 전략을 세워야 한다.

※ [39~41] 다음 글에서 〈보기〉의 문장이 들어가기에 가장 알맞은 곳을 고르십시오. (각 2점)

39.

최근 한 마트에서 과즙을 반값에 판매하는 전략을 내세웠다. (㉠) 그런데 이 과즙의 판매가 개시된 지 며칠이 지나지 않아 문제가 발생했다. (㉡) 과즙에서 발생하는 기포는 숙성이 덜 되었거나 세균이 번식할 경우에 생긴다. 그래서 정부는 기포가 발생한 제품은 판매를 금지하고 있다. (㉢) 하지만 마트 측에서는 이 제품을 계속해서 판매하고 있었다. (㉣) 결국 소비자의 불만이 접수되자 마트 측은 그제야 보상 방법을 검토하겠다고 말했다.

〈보기〉

과즙 속에서 발생해서는 안 되는 성분이 검출된 것이다.

① ㉠ ② ㉡ ③ ㉢ ④ ㉣

40.

소비자들이 물건을 구입할 때 쿠폰을 잘 사용하게 되면 가격에서 일정한 액수를 할인받을 수 있다. (㉠) 기업에서는 쿠폰을 소비자의 구매를 유발하고 촉진시키기 위한 수단으로 많이 사용하고 있다. (㉡) 이 때문에 오늘날 항공사, 통신업체, 주유소, 미용실, 커피숍, 백화점 등 쿠폰 제도가 널리 퍼져서 일반화 되어있다. (㉢) 다시 말해서 쿠폰제는 기업이 상품의 판매를 증가시키기 위한 판매 전략으로 사용되고 있다는 것을 알아야 한다. (㉣)

〈보기〉

이처럼 쿠폰은 소비자의 입장에서는 경제적 실리를 얻고, 기업의 입장에서는 상품 판매를 증가시킨다는 장점이 있다.

① ㉠ ② ㉡ ③ ㉢ ④ ㉣

41.

사람들은 흔히 다른 사람의 장점보다는 단점을 먼저 보고 그것을 비난하기에 바쁘다. (㉠) 그런데 비난하는 사람을 자세히 관찰해 보면 상대방의 거슬리는 행동은 평소에 본인이 싫어했던 자신의 모습인 경우가 많다. (㉡) 이러한 부정적인 자세는 타인의 단점을 들춰내는 것으로 해소하고자 하는 심리가 숨어있다. (㉢) 이로써 자신의 단점은 그나마 낫다는 우월감을 느끼고 죄책감이나 죄의식을 숨길 수 있기 때문이다. (㉣)

〈보기〉

다른 사람을 통해 자신의 싫은 모습을 발견하기 때문이다.

① ㉠ ② ㉡ ③ ㉢ ④ ㉣

※ [42~43] 다음 글을 읽고 물음에 답하십시오. (각 2점)

정말 오래간만에 그 친구를 만났다. 그는 학창 시절 나의 단짝이었다. 우리는 마음이 잘 맞아 항상 붙어 다녔다. 주위 사람들은 그런 우리를 보고 실과 바늘이라고 불렀다. 그 친구의 얼굴을 보니 지난날 우리가 함께 한 여행이 떠올랐다.

졸업을 앞두고 우리는 훌쩍 야간열차에 몸을 실었다. 값싼 여관에서 하룻밤을 묵고 다음날 아침에 춥고 쓸쓸한 바닷가를 보았다. 이 광경은 내 젊은 시절의 좋은 추억으로 여전히 남아 있다. 학교에 지각해서 선생님께 종아리를 맞았던 일이며 수업 시간에 몰래 도시락을 먹다가 들켜 화장실 청소를 했던 일이 생생하게 떠올랐다. 그 친구와 이야기하면서 잊고 있던 모든 것들이 주마등처럼 머릿속을 스쳐 지나갔다.

42. 밑줄 친 부분에 나타난 필자의 심정으로 알맞은 것을 고르십시오.

① 그리움
② 서글픔
③ 쑥스러움
④ 곤혹스러움

43. 이 글의 내용과 같은 것을 고르십시오.

① 앞으로 일어날 일을 상상하고 있다.
② 오랜만에 동창회에서 친구를 만났다.
③ 친구와 철저히 계획을 세우고 여행을 떠났다.
④ 친구와 대화하면서 옛날 일들이 새록새록 떠올랐다.

※ [44~45] 다음을 읽고 물음에 답하십시오. (각 2점)

사람들은 금전적인 보상이 업무 일을 향상시키는데 효과적이라고 말한다. 물론 맞는 말이다. 금전적인 보상은 분명 효과적인 방법이다. 그러나 그 효과가 단기적이며 장기적으로는 과업에 대한 즐거움과 흥미가 감소한다는 연구 결과가 있다. 한 예를 들면 어느 마을에 노인이 살고 있었다. 동네 꼬마들은 매일 노인의 집 앞에 몰려와서 시끄럽게 떠들고 놀았다. 노인은 참다못해 꾀를 내어 말했다. 아침에 집 앞에서 신나게 놀면 1000원을 주기로 한 것이다. 아이들은 신나서 노인의 말대로 다음 날 아침에 와서 놀고는 1000원을 받았다. 노인은 내일 아침에 또 온다면 500원을 주겠다고 했다. 아이들은 그 다음 날도 와서 500원을 받았다. 노인은 내일 아침에 또 와준다면 10원을 주겠다고 했다. 아이들은 10원을 준다는 말을 듣고 다음 날 그리고 그 다음 날도 노인의 집 앞에 나타나지 않았다. 이 이야기는 단순한 놀이가 노인의 (　　　) 어떻게 변질되는지 보여준다.

44. 이 글의 주제로 알맞은 것을 고르십시오.

① 일의 성과에 목적을 두고 일하는 것이 중요하다.
② 문제를 해결하는 데는 금전적인 보상이 제일이다.
③ 금전적인 보상으로 사회적 가치를 이끌어 낼 수 있다.
④ 금전적인 보상은 도리어 일에 대한 흥미를 잃게 한다.

45. (　　　)에 들어갈 내용으로 가장 알맞은 것을 고르십시오.

① 단기적인 꾀로 인해서
② 효과적인 사고로 인해서
③ 금전적인 보상으로 인해서
④ 장기적인 계획으로 인해서

※ [46~47] 다음을 읽고 물음에 답하십시오. (각 2점)

아토피는 선천적 질환으로 알려져 왔으나 최근에 20~30대 청년층에서 후천적 아토피 환자가 증가하고 있다. 지난 한 해 동안 아토피로 인해 진료를 받은 환자가 무려 45.8%에 달해 선천적 아토피 환자의 4배를 넘었다. (㉠) 초반 아토피는 피부염, 피부 건조증, 두드러기, 음식에 대한 과민 반응, 잦은 감기, 햇빛 알레르기 등과 같은 전조증상으로 나타나기도 한다.

(㉡) 이런 증상 등은 갑자기 나타나는 질병이 아니라 오랜 시간 몸속에 누적된 후 피부를 통해 나타나는 질병이다. (㉢) 한명화 피부과 원장은 아토피의 증가는 잘못된 식습관이 크게 영향을 미쳤을 것으로 보고 있으며, 처음부터 완벽하게 관리하기 보다는 과식, 야식과 찬 음식을 피하고 채식 위주로 소식하는 식생활로 조금씩 바꾼다면 누구나 아토피 피부염 치료에서 좋은 결과를 볼 수 있을 거라고 전했다. (㉣)

46. 위 글에서 〈보기〉의 글이 들어가기에 가장 알맞은 것을 고르십시오.

〈보기〉

특히 요즘 사람들처럼 불규칙적인 생활 습관이 반복되다 보면 누구에게나 찾아올 수 있는 질병이다.

① ㉠ ② ㉡ ③ ㉢ ④ ㉣

47. 이 글의 내용과 같은 것을 고르십시오.

① 아토피는 규칙적인 식습관으로 인한 것이다.
② 몸에 아토피가 생기면 초기에 완벽하게 습관을 바꿔야 한다.
③ 아토피가 호전되면 몸에 여러 가지 증상이 갑자기 나타난다.
④ 지금은 선천적 아토피 환자보다 후천적 아토피 환자가 더 많다.

※ [48~50] 다음을 읽고 물음에 답하십시오. (각 2점)

우울증은 발병 원인이 규명되지 않았지만 조기에 발견해 적극적으로 대응하면 80% 이상은 치료가 가능한 것으로 알려져 있다. 자기감정을 겉으로 드러내기를 꺼리는 한국인의 특성이 우울증을 키운다는 연구 결과도 나와 주목된다. 한국인이 극단적인 선택을 많이 하는 것은 서양인과 달리 자기감정을 감추는 것을 원인으로 꼽는다. 한국인은 우울증을 치료하기 위해 병원에 내원해도 (   ). 본인 스스로 증상을 과소평가하는 사람들이 대부분이다. <u>실제로는 훨씬 심각한 상황에 처해 있어 시급한 치료와 조치가 필요한데도 이를 감추기에만 급급하다.</u> 정신과 전문의에 의하면 한국 사람들은 스스로 감정을 억압하고 표현을 안 해서 자살 징후가 나타날 정도가 돼야 알아차리고 병원을 찾는 환자가 많다고 한다. 이것이 치료를 어렵게 만드는 요인 중 하나라고 말한다. 덧붙여 진단과 치료를 잘 받을 수 있도록 우울증에 대한 사회적 편견을 감소시키고 우울증에 시달리는 사람에 대해 세심한 관찰과 그들의 목소리에 귀 기울이려는 노력이 뒤따라야 한다고 조언한다.

48. 위 글을 쓴 목적으로 알맞은 것을 고르십시오.

① 환자에 대한 사회적 편견을 없애기 위해
② 우울증 치료에 적극적으로 동참하기 위해
③ 발병의 원인을 밝혀 조기 치료에 도움을 주기 위해
④ 감정표현이 서툰 한국인이 병을 키우는 것을 알리기 위해

49. (   )에 들어갈 내용으로 알맞은 것을 고르십시오.

① 치료받기를 거부한다
② 검사를 통해서 알게 된다
③ 병을 표현하는 데 인색하다
④ 스스로 병을 알고 있다고 자부한다

50. 밑줄 친 부분에 나타난 필자의 태도로 알맞은 것을 고르십시오.

① 치료를 위해 애쓰는 모습에 감탄하고 있다.
② 병을 과소평가하는 것에 대해 비판하고 있다.
③ 환자가 본인의 병을 인지하지 못하는 것에 안타까워하고 있다.
④ 국가 차원에서 병에 대한 편견을 없애야 한다고 주장하고 있다.

한국어능력시험 Real TOPIK II

1교시(듣기)

성 명 (Name)	한 국 어 (Korean)	
	영 어 (English)	

수			험			번			호		
					8						
⓪	⓪	⓪	⓪	⓪		⓪	⓪	⓪	⓪	⓪	⓪
①	①	①	①	①		①	①	①	①	①	①
②	②	②	②	②		②	②	②	②	②	②
③	③	③	③	③		③	③	③	③	③	③
④	④	④	④	④		④	④	④	④	④	④
⑤	⑤	⑤	⑤	⑤		⑤	⑤	⑤	⑤	⑤	⑤
⑥	⑥	⑥	⑥	⑥		⑥	⑥	⑥	⑥	⑥	⑥
⑦	⑦	⑦	⑦	⑦		⑦	⑦	⑦	⑦	⑦	⑦
⑧	⑧	⑧	⑧	⑧	●	⑧	⑧	⑧	⑧	⑧	⑧
⑨	⑨	⑨	⑨	⑨		⑨	⑨	⑨	⑨	⑨	⑨

문제지 유형 (Type)	
홀수형(Odd number type)	○
짝수형(Even number type)	○

※결 시 확인란	결시자의 영어 성명 및 수험번호 기재 후 표기	○

※ 위사항을 지키지 않아 발생하는 불이익은 응시자에게 있습니다.

※감독관 확 인	본인 및 수험번호 표기가 정확한지 확인	인

번호	답		란	
1	①	②	③	④
2	①	②	③	④
3	①	②	③	④
4	①	②	③	④
5	①	②	③	④
6	①	②	③	④
7	①	②	③	④
8	①	②	③	④
9	①	②	③	④
10	①	②	③	④
11	①	②	③	④
12	①	②	③	④
13	①	②	③	④
14	①	②	③	④
15	①	②	③	④
16	①	②	③	④
17	①	②	③	④
18	①	②	③	④
19	①	②	③	④
20	①	②	③	④

번호	답		란	
21	①	②	③	④
22	①	②	③	④
23	①	②	③	④
24	①	②	③	④
25	①	②	③	④
26	①	②	③	④
27	①	②	③	④
28	①	②	③	④
29	①	②	③	④
30	①	②	③	④
31	①	②	③	④
32	①	②	③	④
33	①	②	③	④
34	①	②	③	④
35	①	②	③	④
36	①	②	③	④
37	①	②	③	④
38	①	②	③	④
39	①	②	③	④
40	①	②	③	④

번호	답		란	
41	①	②	③	④
42	①	②	③	④
43	①	②	③	④
44	①	②	③	④
45	①	②	③	④
46	①	②	③	④
47	①	②	③	④
48	①	②	③	④
49	①	②	③	④
50	①	②	③	④

한국어능력시험

Real TOPIK II

3교시(읽기)

성 명 (Name)	한 국 어 (Korean)	
	영 어 (English)	

수			험		번			호		
					8					
⓪	⓪	⓪	⓪	⓪		⓪	⓪	⓪	⓪	⓪	⓪
①	①	①	①	①		①	①	①	①	①	①
②	②	②	②	②		②	②	②	②	②	②
③	③	③	③	③		③	③	③	③	③	③
④	④	④	④	④		④	④	④	④	④	④
⑤	⑤	⑤	⑤	⑤		⑤	⑤	⑤	⑤	⑤	⑤
⑥	⑥	⑥	⑥	⑥		⑥	⑥	⑥	⑥	⑥	⑥
⑦	⑦	⑦	⑦	⑦		⑦	⑦	⑦	⑦	⑦	⑦
⑧	⑧	⑧	⑧	⑧	●	⑧	⑧	⑧	⑧	⑧	⑧
⑨	⑨	⑨	⑨	⑨		⑨	⑨	⑨	⑨	⑨	⑨

문제지 유형 (Type)	
홀수형(Odd number type)	○
짝수형(Even number type)	○

※결 시 확인란	결시자의 영어 성명 및 수험번호 기재 후 표기	○

※ 위사항을 지키지 않아 발생하는 불이익은 응시자에게 있습니다.

※감독관 확 인	본인 및 수험번호 표기가 정확한지 확인	인

번호	답		란	
1	①	②	③	④
2	①	②	③	④
3	①	②	③	④
4	①	②	③	④
5	①	②	③	④
6	①	②	③	④
7	①	②	③	④
8	①	②	③	④
9	①	②	③	④
10	①	②	③	④
11	①	②	③	④
12	①	②	③	④
13	①	②	③	④
14	①	②	③	④
15	①	②	③	④
16	①	②	③	④
17	①	②	③	④
18	①	②	③	④
19	①	②	③	④
20	①	②	③	④

번호	답		란	
21	①	②	③	④
22	①	②	③	④
23	①	②	③	④
24	①	②	③	④
25	①	②	③	④
26	①	②	③	④
27	①	②	③	④
28	①	②	③	④
29	①	②	③	④
30	①	②	③	④
31	①	②	③	④
32	①	②	③	④
33	①	②	③	④
34	①	②	③	④
35	①	②	③	④
36	①	②	③	④
37	①	②	③	④
38	①	②	③	④
39	①	②	③	④
40	①	②	③	④

번호	답		란	
41	①	②	③	④
42	①	②	③	④
43	①	②	③	④
44	①	②	③	④
45	①	②	③	④
46	①	②	③	④
47	①	②	③	④
48	①	②	③	④
49	①	②	③	④
50	①	②	③	④

한국어능력시험
Real TOPIK II
2교시(쓰기)

성 명 (Name)	한 국 어 (Korean)	
	영 어 (English)	

수			험			번			호		
					8						
0	0	0	0	0		0	0	0	0	0	0
1	1	1	1	1		1	1	1	1	1	1
2	2	2	2	2		2	2	2	2	2	2
3	3	3	3	3		3	3	3	3	3	3
4	4	4	4	4		4	4	4	4	4	4
5	5	5	5	5		5	5	5	5	5	5
6	6	6	6	6		6	6	6	6	6	6
7	7	7	7	7		7	7	7	7	7	7
8	8	8	8	8	●	8	8	8	8	8	8
9	9	9	9	9		9	9	9	9	9	9

문제지 유형 (Type)	
홀수형(Odd number type)	○
짝수형(Even number type)	○

※결 시 확인란	결시자의 영어 성명 및 수험번호 기재 후 표기	○

※ 위사항을 지키지 않아 발생하는 불이익은 응시자에게 있습니다.

※감독관 확 인	본인 및 수험번호 표기가 정확한지 확인	인

주관식 답안은 정해진 답란을 벗어나거나 답란을 바꿔서 쓸 경우 점수를 받을 수 없습니다
(Answers written outside the box or in the wrong box will not be graded.)

51
㉠
㉡

52
㉠
㉡

53 아래 빈칸에 200자에서 300자 이내로 작문하십시오(띄어쓰기 포함).
(Please write your answer below; your answer must be between 200 and 300 letters including spaces.)

50

100

150

200

250

300

※ 54번은 뒷면에 작성하십시오. (Please write your answer for question number 54 at tthe back.)

54	주 관 식 답 란 (Answer sheet for composition)
	아래 빈칸에 600자에서 700자 이내로 작문하십시오 (띄어쓰기 포함). (Plase write your answer below; your answer must be between 600 and 700 letters including spaces.)

54

주어진 답란의 방향을 바꿔서 답안을 쓰면 '0'점 처리됩니다.
(Please do not turn the answer sheet horizontally. No points will be given.)

한국어능력시험
Real TOPIK II
1교시(듣기)

성 명 (Name)	한 국 어 (Korean)	
	영 어 (English)	

수			험			번			호		
					8						
0	0	0	0	0		0	0	0	0	0	0
1	1	1	1	1		1	1	1	1	1	1
2	2	2	2	2		2	2	2	2	2	2
3	3	3	3	3		3	3	3	3	3	3
4	4	4	4	4		4	4	4	4	4	4
5	5	5	5	5		5	5	5	5	5	5
6	6	6	6	6		6	6	6	6	6	6
7	7	7	7	7		7	7	7	7	7	7
8	8	8	8	8	●	8	8	8	8	8	8
9	9	9	9	9		9	9	9	9	9	9

문제지 유형 (Type)	
홀수형(Odd number type)	○
짝수형(Even number type)	○

※결 시 확인란	결시자의 영어 성명 및 수험번호 기재 후 표기	○

※ 위사항을 지키지 않아 발생하는 불이익은 응시자에게 있습니다.

※감독관 확 인	본인 및 수험번호 표기가 정확한지 확인	인

번호	답		란	
1	①	②	③	④
2	①	②	③	④
3	①	②	③	④
4	①	②	③	④
5	①	②	③	④
6	①	②	③	④
7	①	②	③	④
8	①	②	③	④
9	①	②	③	④
10	①	②	③	④
11	①	②	③	④
12	①	②	③	④
13	①	②	③	④
14	①	②	③	④
15	①	②	③	④
16	①	②	③	④
17	①	②	③	④
18	①	②	③	④
19	①	②	③	④
20	①	②	③	④

번호	답		란	
21	①	②	③	④
22	①	②	③	④
23	①	②	③	④
24	①	②	③	④
25	①	②	③	④
26	①	②	③	④
27	①	②	③	④
28	①	②	③	④
29	①	②	③	④
30	①	②	③	④
31	①	②	③	④
32	①	②	③	④
33	①	②	③	④
34	①	②	③	④
35	①	②	③	④
36	①	②	③	④
37	①	②	③	④
38	①	②	③	④
39	①	②	③	④
40	①	②	③	④

번호	답		란	
41	①	②	③	④
42	①	②	③	④
43	①	②	③	④
44	①	②	③	④
45	①	②	③	④
46	①	②	③	④
47	①	②	③	④
48	①	②	③	④
49	①	②	③	④
50	①	②	③	④

한국어능력시험
Real TOPIK II
3교시(읽기)

성 명 (Name)	한 국 어 (Korean)	
	영 어 (English)	

수					험	번				호
					8					
⓪	⓪	⓪	⓪	⓪		⓪	⓪	⓪	⓪	⓪
①	①	①	①	①		①	①	①	①	①
②	②	②	②	②		②	②	②	②	②
③	③	③	③	③		③	③	③	③	③
④	④	④	④	④		④	④	④	④	④
⑤	⑤	⑤	⑤	⑤		⑤	⑤	⑤	⑤	⑤
⑥	⑥	⑥	⑥	⑥		⑥	⑥	⑥	⑥	⑥
⑦	⑦	⑦	⑦	⑦		⑦	⑦	⑦	⑦	⑦
⑧	⑧	⑧	⑧	⑧	●	⑧	⑧	⑧	⑧	⑧
⑨	⑨	⑨	⑨	⑨		⑨	⑨	⑨	⑨	⑨

문제지 유형 (Type)	
홀수형(Odd number type)	○
짝수형(Even number type)	○

※결 시 확인란	결시자의 영어 성명 및 수험번호 기재 후 표기	○

※ 위사항을 지키지 않아 발생하는 불이익은 응시자에게 있습니다.

※감독관 확 인	본인 및 수험번호 표기가 정확한지 확인	인

번호	답			란
1	①	②	③	④
2	①	②	③	④
3	①	②	③	④
4	①	②	③	④
5	①	②	③	④
6	①	②	③	④
7	①	②	③	④
8	①	②	③	④
9	①	②	③	④
10	①	②	③	④
11	①	②	③	④
12	①	②	③	④
13	①	②	③	④
14	①	②	③	④
15	①	②	③	④
16	①	②	③	④
17	①	②	③	④
18	①	②	③	④
19	①	②	③	④
20	①	②	③	④

번호	답			란
21	①	②	③	④
22	①	②	③	④
23	①	②	③	④
24	①	②	③	④
25	①	②	③	④
26	①	②	③	④
27	①	②	③	④
28	①	②	③	④
29	①	②	③	④
30	①	②	③	④
31	①	②	③	④
32	①	②	③	④
33	①	②	③	④
34	①	②	③	④
35	①	②	③	④
36	①	②	③	④
37	①	②	③	④
38	①	②	③	④
39	①	②	③	④
40	①	②	③	④

번호	답			란
41	①	②	③	④
42	①	②	③	④
43	①	②	③	④
44	①	②	③	④
45	①	②	③	④
46	①	②	③	④
47	①	②	③	④
48	①	②	③	④
49	①	②	③	④
50	①	②	③	④

한국어능력시험
Real TOPIK II
2교시(쓰기)

성 명 (Name)	한 국 어 (Korean)	
	영 어 (English)	

수				험		번			호		
					8						
0	0	0	0	0		0	0	0	0	0	0
1	1	1	1	1		1	1	1	1	1	1
2	2	2	2	2		2	2	2	2	2	2
3	3	3	3	3		3	3	3	3	3	3
4	4	4	4	4		4	4	4	4	4	4
5	5	5	5	5		5	5	5	5	5	5
6	6	6	6	6		6	6	6	6	6	6
7	7	7	7	7		7	7	7	7	7	7
8	8	8	8	8	●	8	8	8	8	8	8
9	9	9	9	9		9	9	9	9	9	9

문제지 유형 (Type)	
홀수형(Odd number type)	○
짝수형(Even number type)	○

※결 시 확인란	결시자의 영어 성명 및 수험번호 기재 후 표기	○

※ 위사항을 지키지 않아 발생하는 불이익은 응시자에게 있습니다.

※감독관 확 인	본인 및 수험번호 표기가 정확한지 확인	인

주관식 답안은 정해진 답란을 벗어나거나 답란을 바꿔서 쓸 경우 점수를 받을 수 없습니다
(Answers written outside the box or in the wrong box will not be graded.)

51	㉠
	㉡
52	㉠
	㉡
53	아래 빈칸에 200자에서 300자 이내로 작문하십시오(띄어쓰기 포함). (Please write your answer below; your answer must be between 200 and 300 letters including spaces.)

50

100

150

200

250

300

※ 54번은 뒷면에 작성하십시오. (Please write your answer for question number 54 at tthe back.)

54	주 관 식 답 란 (Answer sheet for composition)
	아래 빈칸에 600자에서 700자 이내로 작문하십시오 (띄어쓰기 포함). (Plase write your answer below; your answer must be between 600 and 700 letters including spaces.)

54

주어진 답란의 방향을 바꿔서 답안을 쓰면 '0'점 처리됩니다.
(Please do not turn the answer sheet horizontally. No points will be given.)

한국어능력시험
Real TOPIK II
1교시(듣기)

성 명 (Name)	한 국 어 (Korean)	
	영 어 (English)	

수		험			번				호		
					8						
0	0	0	0	0		0	0	0	0	0	0
1	1	1	1	1		1	1	1	1	1	1
2	2	2	2	2		2	2	2	2	2	2
3	3	3	3	3		3	3	3	3	3	3
4	4	4	4	4		4	4	4	4	4	4
5	5	5	5	5		5	5	5	5	5	5
6	6	6	6	6		6	6	6	6	6	6
7	7	7	7	7		7	7	7	7	7	7
8	8	8	8	8	●	8	8	8	8	8	8
9	9	9	9	9		9	9	9	9	9	9

문제지 유형 (Type)	
홀수형(Odd number type)	○
짝수형(Even number type)	○

※결 시 확인란	결시자의 영어 성명 및 수험번호 기재 후 표기	○

※ 위사항을 지키지 않아 발생하는 불이익은 응시자에게 있습니다.

※감독관 확 인	본인 및 수험번호 표기가 정확한지 확인	인

번호	답		란	
1	①	②	③	④
2	①	②	③	④
3	①	②	③	④
4	①	②	③	④
5	①	②	③	④
6	①	②	③	④
7	①	②	③	④
8	①	②	③	④
9	①	②	③	④
10	①	②	③	④
11	①	②	③	④
12	①	②	③	④
13	①	②	③	④
14	①	②	③	④
15	①	②	③	④
16	①	②	③	④
17	①	②	③	④
18	①	②	③	④
19	①	②	③	④
20	①	②	③	④

번호	답		란	
21	①	②	③	④
22	①	②	③	④
23	①	②	③	④
24	①	②	③	④
25	①	②	③	④
26	①	②	③	④
27	①	②	③	④
28	①	②	③	④
29	①	②	③	④
30	①	②	③	④
31	①	②	③	④
32	①	②	③	④
33	①	②	③	④
34	①	②	③	④
35	①	②	③	④
36	①	②	③	④
37	①	②	③	④
38	①	②	③	④
39	①	②	③	④
40	①	②	③	④

번호	답		란	
41	①	②	③	④
42	①	②	③	④
43	①	②	③	④
44	①	②	③	④
45	①	②	③	④
46	①	②	③	④
47	①	②	③	④
48	①	②	③	④
49	①	②	③	④
50	①	②	③	④

한국어능력시험
Real TOPIK II
3교시(읽기)

성 명 (Name)	한 국 어 (Korean)	
	영 어 (English)	

수		험				번			호		
					8						
⓪	⓪	⓪	⓪	⓪		⓪	⓪	⓪	⓪	⓪	⓪
①	①	①	①	①		①	①	①	①	①	①
②	②	②	②	②		②	②	②	②	②	②
③	③	③	③	③		③	③	③	③	③	③
④	④	④	④	④		④	④	④	④	④	④
⑤	⑤	⑤	⑤	⑤		⑤	⑤	⑤	⑤	⑤	⑤
⑥	⑥	⑥	⑥	⑥		⑥	⑥	⑥	⑥	⑥	⑥
⑦	⑦	⑦	⑦	⑦		⑦	⑦	⑦	⑦	⑦	⑦
⑧	⑧	⑧	⑧	⑧	●	⑧	⑧	⑧	⑧	⑧	⑧
⑨	⑨	⑨	⑨	⑨		⑨	⑨	⑨	⑨	⑨	⑨

문제지 유형 (Type)	
홀수형(Odd number type)	○
짝수형(Even number type)	○

※결 시 확인란	결시자의 영어 성명 및 수험번호 기재 후 표기	○

※ 위사항을 지키지 않아 발생하는 불이익은 응시자에게 있습니다.

※감독관 확 인	본인 및 수험번호 표기가 정확한지 확인	인

번호	답		란	
1	①	②	③	④
2	①	②	③	④
3	①	②	③	④
4	①	②	③	④
5	①	②	③	④
6	①	②	③	④
7	①	②	③	④
8	①	②	③	④
9	①	②	③	④
10	①	②	③	④
11	①	②	③	④
12	①	②	③	④
13	①	②	③	④
14	①	②	③	④
15	①	②	③	④
16	①	②	③	④
17	①	②	③	④
18	①	②	③	④
19	①	②	③	④
20	①	②	③	④

번호	답		란	
21	①	②	③	④
22	①	②	③	④
23	①	②	③	④
24	①	②	③	④
25	①	②	③	④
26	①	②	③	④
27	①	②	③	④
28	①	②	③	④
29	①	②	③	④
30	①	②	③	④
31	①	②	③	④
32	①	②	③	④
33	①	②	③	④
34	①	②	③	④
35	①	②	③	④
36	①	②	③	④
37	①	②	③	④
38	①	②	③	④
39	①	②	③	④
40	①	②	③	④

번호	답		란	
41	①	②	③	④
42	①	②	③	④
43	①	②	③	④
44	①	②	③	④
45	①	②	③	④
46	①	②	③	④
47	①	②	③	④
48	①	②	③	④
49	①	②	③	④
50	①	②	③	④

한국어능력시험
Real TOPIK II
2교시(쓰기)

성 명 (Name)	한 국 어 (Korean)	
	영 어 (English)	

수		험			번			호			
					8						
0	0	0	0	0		0	0	0	0	0	0
1	1	1	1	1		1	1	1	1	1	1
2	2	2	2	2		2	2	2	2	2	2
3	3	3	3	3		3	3	3	3	3	3
4	4	4	4	4		4	4	4	4	4	4
5	5	5	5	5		5	5	5	5	5	5
6	6	6	6	6		6	6	6	6	6	6
7	7	7	7	7		7	7	7	7	7	7
8	8	8	8	8	●	8	8	8	8	8	8
9	9	9	9	9		9	9	9	9	9	9

문제지 유형 (Type)	
홀수형(Odd number type)	○
짝수형(Even number type)	○

※결 시 확인란	결시자의 영어 성명 및 수험번호 기재 후 표기	○

※ 위사항을 지키지 않아 발생하는 불이익은 응시자에게 있습니다.

※감독관 확 인	본인 및 수험번호 표기가 정확한지 확인	인

주관식 답안은 정해진 답란을 벗어나거나 답란을 바꿔서 쓸 경우 점수를 받을 수 없습니다
(Answers written outside the box or in the wrong box will not be graded.)

51	㉠
	㉡
52	㉠
	㉡
53	아래 빈칸에 200자에서 300자 이내로 작문하십시오(띄어쓰기 포함). (Please write your answer below; your answer must be between 200 and 300 letters including spaces.)

50

100

150

200

250

300

※ 54번은 뒷면에 작성하십시오. (Please write your answer for question number 54 at tthe back.)

54	주 관 식 답 란 (Answer sheet for composition)
	아래 빈칸에 600자에서 700자 이내로 작문하십시오 (띄어쓰기 포함). (Plase write your answer below; your answer must be between 600 and 700 letters including spaces.)

54

주어진 답란의 방향을 바꿔서 답안을 쓰면 '0'점 처리됩니다.
(Please do not turn the answer sheet horizontally. No points will be given.)

한국어능력시험
Real TOPIK II
1 교시(듣기)

성 명 (Name)	한 국 어 (Korean)	
	영 어 (English)	

수	험	번	호							
					8					
⓪	⓪	⓪	⓪	⓪		⓪	⓪	⓪	⓪	⓪	⓪
①	①	①	①	①		①	①	①	①	①	①
②	②	②	②	②		②	②	②	②	②	②
③	③	③	③	③		③	③	③	③	③	③
④	④	④	④	④		④	④	④	④	④	④
⑤	⑤	⑤	⑤	⑤		⑤	⑤	⑤	⑤	⑤	⑤
⑥	⑥	⑥	⑥	⑥		⑥	⑥	⓪	⑥	⑥	⑥
⑦	⑦	⑦	⑦	⑦		⑦	⑦	⑦	⑦	⑦	⑦
⑧	⑧	⑧	⑧	⑧	●	⑧	⑧	⑧	⑧	⑧	⑧
⑨	⑨	⑨	⑨	⑨		⑨	⑨	⑨	⑨	⑨	⑨

문제지 유형 (Type)	
홀수형(Odd number type)	○
짝수형(Even number type)	○

※결 시 확인란	결시자의 영어 성명 및 수험번호 기재 후 표기	○

※ 위사항을 지키지 않아 발생하는 불이익은 응시자에게 있습니다.

※감독관 확 인	본인 및 수험번호 표기가 정확한지 확인	인

번호	답		란	
1	①	②	③	④
2	①	②	③	④
3	①	②	③	④
4	①	②	③	④
5	①	②	③	④
6	①	②	③	④
7	①	②	③	④
8	①	②	③	④
9	①	②	③	④
10	①	②	③	④
11	①	②	③	④
12	①	②	③	④
13	①	②	③	④
14	①	②	③	④
15	①	②	③	④
16	①	②	③	④
17	①	②	③	④
18	①	②	③	④
19	①	②	③	④
20	①	②	③	④

번호	답		란	
21	①	②	③	④
22	①	②	③	④
23	①	②	③	④
24	①	②	③	④
25	①	②	③	④
26	①	②	③	④
27	①	②	③	④
28	①	②	③	④
29	①	②	③	④
30	①	②	③	④
31	①	②	③	④
32	①	②	③	④
33	①	②	③	④
34	①	②	③	④
35	①	②	③	④
36	①	②	③	④
37	①	②	③	④
38	①	②	③	④
39	①	②	③	④
40	①	②	③	④

번호	답		란	
41	①	②	③	④
42	①	②	③	④
43	①	②	③	④
44	①	②	③	④
45	①	②	③	④
46	①	②	③	④
47	①	②	③	④
48	①	②	③	④
49	①	②	③	④
50	①	②	③	④

한국어능력시험
Real TOPIK II
3교시(읽기)

성 명 (Name)	한 국 어 (Korean)	
	영 어 (English)	

수		험		번		호				
					8					
0	0	0	0	0		0	0	0	0	0
1	1	1	1	1		1	1	1	1	1
2	2	2	2	2		2	2	2	2	2
3	3	3	3	3		3	3	3	3	3
4	4	4	4	4		4	4	4	4	4
5	5	5	5	5		5	5	5	5	5
6	6	6	6	6		6	6	6	6	6
7	7	7	7	7		7	7	7	7	7
8	8	8	8	8	●	8	8	8	8	8
9	9	9	9	9		9	9	9	9	9

문제지 유형 (Type)	
홀수형(Odd number type)	○
짝수형(Even number type)	○

※결 시 확인란	결시자의 영어 성명 및 수험번호 기재 후 표기	○

※ 위사항을 지키지 않아 발생하는 불이익은 응시자에게 있습니다.

※감독관 확 인	본인 및 수험번호 표기가 정확한지 확인	인

번호	답		란	
1	①	②	③	④
2	①	②	③	④
3	①	②	③	④
4	①	②	③	④
5	①	②	③	④
6	①	②	③	④
7	①	②	③	④
8	①	②	③	④
9	①	②	③	④
10	①	②	③	④
11	①	②	③	④
12	①	②	③	④
13	①	②	③	④
14	①	②	③	④
15	①	②	③	④
16	①	②	③	④
17	①	②	③	④
18	①	②	③	④
19	①	②	③	④
20	①	②	③	④

번호	답		란	
21	①	②	③	④
22	①	②	③	④
23	①	②	③	④
24	①	②	③	④
25	①	②	③	④
26	①	②	③	④
27	①	②	③	④
28	①	②	③	④
29	①	②	③	④
30	①	②	③	④
31	①	②	③	④
32	①	②	③	④
33	①	②	③	④
34	①	②	③	④
35	①	②	③	④
36	①	②	③	④
37	①	②	③	④
38	①	②	③	④
39	①	②	③	④
40	①	②	③	④

번호	답		란	
41	①	②	③	④
42	①	②	③	④
43	①	②	③	④
44	①	②	③	④
45	①	②	③	④
46	①	②	③	④
47	①	②	③	④
48	①	②	③	④
49	①	②	③	④
50	①	②	③	④

한국어능력시험
Real TOPIK II
2교시(쓰기)

성 명 (Name)	한 국 어 (Korean)	
	영 어 (English)	

수		험		번	호						
					8						
0	0	0	0	0		0	0	0	0	0	0
1	1	1	1	1		1	1	1	1	1	1
2	2	2	2	2		2	2	2	2	2	2
3	3	3	3	3		3	3	3	3	3	3
4	4	4	4	4		4	4	4	4	4	4
5	5	5	5	5		5	5	5	5	5	5
6	6	6	6	6		6	6	6	6	0	6
7	7	7	7	7		7	7	7	7	7	7
8	8	8	8	8	●	8	8	8	8	8	8
9	9	9	9	9		9	9	9	9	9	9

문제지 유형 (Type)	
홀수형(Odd number type)	○
짝수형(Even number type)	○

※결 시 확인란	결시자의 영어 성명 및 수험번호 기재 후 표기	○

※ 위사항을 지키지 않아 발생하는 불이익은 응시자에게 있습니다.

※감독관 확 인	본인 및 수험번호 표기가 정확한지 확인	인

주관식 답안은 정해진 답란을 벗어나거나 답란을 바꿔서 쓸 경우 점수를 받을 수 없습니다
(Answers written outside the box or in the wrong box will not be graded.)

51 ㉠

㉡

52 ㉠

㉡

53 아래 빈칸에 200자에서 300자 이내로 작문하십시오(띄어쓰기 포함).
(Please write your answer below; your answer must be between 200 and 300 letters including spaces.)

50

100

150

200

250

300

※ 54번은 뒷면에 작성하십시오. (Please write your answer for question number 54 at tthe back.)

54	주 관 식 답 란 (Answer sheet for composition)
	아래 빈칸에 600자에서 700자 이내로 작문하십시오 (띄어쓰기 포함). (Plase write your answer below; your answer must be between 600 and 700 letters including spaces.)

주어진 답란의 방향을 바꿔서 답안을 쓰면 '0'점 처리됩니다.
(Please do not turn the answer sheet horizontally. No points will be given.)

한국어능력시험
Real TOPIK II
1교시(듣기)

성 명 (Name)	한 국 어 (Korean)	
	영 어 (English)	

수		험		번		호					
					8						
⓪	⓪	⓪	⓪	⓪		⓪	⓪	⓪	⓪	⓪	⓪
①	①	①	①	①		①	①	①	①	①	①
②	②	②	②	②		②	②	②	②	②	②
③	③	③	③	③		③	③	③	③	③	③
④	④	④	④	④		④	④	④	④	④	④
⑤	⑤	⑤	⑤	⑤		⑤	⑤	⑤	⑤	⑤	⑤
⑥	⑥	⑥	⑥	⑥		⑥	⑥	⑥	⑥	⑥	⑥
⑦	⑦	⑦	⑦	⑦		⑦	⑦	⑦	⑦	⑦	⑦
⑧	⑧	⑧	⑧	⑧	●	⑧	⑧	⑧	⑧	⑧	⑧
⑨	⑨	⑨	⑨	⑨		⑨	⑨	⑨	⑨	⑨	⑨

문제지 유형 (Type)	
홀수형(Odd number type)	○
짝수형(Even number type)	○

※결 시 확인란	결시자의 영어 성명 및 수험번호 기재 후 표기	○

※ 위사항을 지키지 않아 발생하는 불이익은 응시자에게 있습니다.

※감독관 확 인	본인 및 수험번호 표기가 정확한지 확인	인

번호	답		란	
1	①	②	③	④
2	①	②	③	④
3	①	②	③	④
4	①	②	③	④
5	①	②	③	④
6	①	②	③	④
7	①	②	③	④
8	①	②	③	④
9	①	②	③	④
10	①	②	③	④
11	①	②	③	④
12	①	②	③	④
13	①	②	③	①
14	①	②	③	④
15	①	②	③	④
16	①	②	③	④
17	①	②	③	④
18	①	②	③	④
19	①	②	③	④
20	①	②	③	④

번호	답		란	
21	①	②	③	④
22	①	②	③	④
23	①	②	③	④
24	①	②	③	④
25	①	②	③	④
26	①	②	③	④
27	①	②	③	④
28	①	②	③	④
29	①	②	③	④
30	①	②	③	④
31	①	②	③	④
32	①	②	③	④
33	①	②	③	④
34	①	②	③	④
35	①	②	③	④
36	①	②	③	④
37	①	②	③	④
38	①	②	③	④
39	①	②	③	④
40	①	②	③	④

번호	답		란	
41	①	②	③	④
42	①	②	③	④
43	①	②	③	④
44	①	②	③	④
45	①	②	③	④
46	①	②	③	④
47	①	②	③	④
48	①	②	③	④
49	①	②	③	④
50	①	②	③	④

한국어능력시험
Real TOPIK II
3교시(읽기)

성 명 (Name)	한 국 어 (Korean)	
	영 어 (English)	

수				험	번			호		
					8						
⓪	⓪	⓪	⓪	⓪		⓪	⓪	⓪	⓪	⓪	⓪
①	①	①	①	①		①	①	①	①	①	①
②	②	②	②	②		②	②	②	②	②	②
③	③	③	③	③		③	③	③	③	③	③
④	④	④	④	④		④	④	④	④	④	④
⑤	⑤	⑤	⑤	⑤		⑤	⑤	⑤	⑤	⑤	⑤
⑥	⑥	⑥	⑥	⑥		⑥	⑥	⑥	⑥	⑥	⑥
⑦	⑦	⑦	⑦	⑦		⑦	⑦	⑦	⑦	⑦	⑦
⑧	⑧	⑧	⑧	⑧	●	⑧	⑧	⑧	⑧	⑧	⑧
⑨	⑨	⑨	⑨	⑨		⑨	⑨	⑨	⑨	⑨	⑨

문제지 유형 (Type)	
홀수형(Odd number type)	○
짝수형(Even number type)	○

※결 시 확인란	결시자의 영어 성명 및 수험번호 기재 후 표기	○

※ 위사항을 지키지 않아 발생하는 불이익은 응시자에게 있습니다.

※감독관 확 인	본인 및 수험번호 표기가 정확한지 확인	인

번호	답			란
1	①	②	③	④
2	①	②	③	④
3	①	②	③	④
4	①	②	③	④
5	①	②	③	④
6	①	②	③	④
7	①	②	③	④
8	①	②	③	④
9	①	②	③	④
10	①	②	③	④
11	①	②	③	④
12	①	②	③	④
13	①	②	③	④
14	①	②	③	④
15	①	②	③	④
16	①	②	③	④
17	①	②	③	④
18	①	②	③	④
19	①	②	③	④
20	①	②	③	④

번호	답			란
21	①	②	③	④
22	①	②	③	④
23	①	②	③	④
24	①	②	③	④
25	①	②	③	④
26	①	②	③	④
27	①	②	③	④
28	①	②	③	④
29	①	②	③	④
30	①	②	③	④
31	①	②	③	④
32	①	②	③	④
33	①	②	③	④
34	①	②	③	④
35	①	②	③	④
36	①	②	③	④
37	①	②	③	④
38	①	②	③	④
39	①	②	③	④
40	①	②	③	④

번호	답			란
41	①	②	③	④
42	①	②	③	④
43	①	②	③	④
44	①	②	③	④
45	①	②	③	④
46	①	②	③	④
47	①	②	③	④
48	①	②	③	④
49	①	②	③	④
50	①	②	③	④

한국어능력시험
Real TOPIK II
2교시(쓰기)

성 명 (Name)	한 국 어 (Korean)	
	영 어 (English)	

수		험			번			호			
					8						
0	0	0	0	0		0	0	0	0	0	0
1	1	1	1	1		1	1	1	1	1	1
2	2	2	2	2		2	2	2	2	2	2
3	3	3	3	3		3	3	3	3	3	3
4	4	4	4	4		4	4	4	4	4	4
5	5	5	5	5		5	5	5	5	5	5
6	6	6	6	6		6	6	6	6	6	6
7	7	7	7	7		7	7	7	7	7	7
8	8	8	8	8	●	8	8	8	8	8	8
9	9	9	9	9		9	9	9	9	9	9

문제지 유형 (Type)	
홀수형(Odd number type)	○
짝수형(Even number type)	○

※결 시 확인란	결시자의 영어 성명 및 수험번호 기재 후 표기	○

※ 위사항을 지키지 않아 발생하는 불이익은 응시자에게 있습니다.

※감독관 확 인	본인 및 수험번호 표기가 정확한지 확인	인

주관식 답안은 정해진 답란을 벗어나거나 답란을 바꿔서 쓸 경우 점수를 받을 수 없습니다
(Answers written outside the box or in the wrong box will not be graded.)

51	㉠
	㉡
52	㉠
	㉡
53	아래 빈칸에 200자에서 300자 이내로 작문하십시오(띄어쓰기 포함). (Please write your answer below; your answer must be between 200 and 300 letters including spaces.)

50

100

150

200

250

300

※ 54번은 뒷면에 작성하십시오. (Please write your answer for question number 54 at tthe back.)

54	주 관 식 답 란 (Answer sheet for composition)
	아래 빈칸에 600자에서 700자 이내로 작문하십시오 (띄어쓰기 포함). (Plase write your answer below; your answer must be between 600 and 700 letters including spaces.)

54

주어진 답란의 방향을 바꿔서 답안을 쓰면 '0'점 처리됩니다.
(Please do not turn the answer sheet horizontally. No points will be given.)